ちくま新書

どもに学ぶ言葉の認知科学

広瀬友紀
rose Yuki

1667

子どもに学ぶ言葉の認知科学【目次】

まえがき　007

第一章　習わないのにわかっていることば——言語習得とその先　011

「死む」は言い間違いではない／大人の模倣ではない証拠／過剰一般化／いつごろまで「死む」って言うのか／ちゃんとやすらないと手を切ります／大人よりも複雑な構文？／言語を観察する力　ツッコミ能力？／構造的多義性／小学校英語教育の現場に平野レミ先生を！

第二章　逆さま文字、何が逆さま？——文字の認知　043

鏡の中は逆さまなのか／鏡文字の謎／文字の分解と組み立て／のび太とのび犬問題／パーツ認定とその構成／文字同士の配列——ターャジスとケブンッリジだがいく

第三章　英語にあって日本語にないもの？——目的語と関係節、そして主語？　077

修飾戦線異状あり？／目的語ってないの？／日本語のほうが自由だ？／子どもがわかるように／

人食いニンジンの恐怖／あなたはウナギなんですか／関係節って英語で出てくるやつですよね？／これ本当に関係節なの？

第四章 日本語って難しいの？——文理解と曖昧性 109
ガーデンパスでどんでん返し／英語に直してみる／大事なことをなぜあとに？／自由とひきかえに……／全部読んでも結局曖昧なとき／こじらせた曖昧性／略しても、好きな人／主語関係節 vs. 目的語関係節はホットな話題／曖昧性が明らかにしてくれること

第五章 小さい「っ」の正体——特殊モーラと音声知覚 143
小さい文字はちょっとむずかしい／小さい「っ」の正体は？／イタリア語にも小さい「っ」ってあるんですか／イタリア語話者と日本語話者は似て非なるものを聞いている？／失ったのではない。手放したのだ／聞いてる時点でカタカナ英語？／ここも特殊だ日本語は／小さい「ゃ」「ゅ」「ょ」（ねじる音・拗音）／しりとりでわかること——音節を使う子どもたち

第六章 なぜ会話が通じるのか——語用論 169

「語用論」ってなんだ／文字通りじゃないよ、のサイン／言葉通りの意味と語用論的な意味／2は3に含まれる？／象のなかには哺乳類であるものもいる……マルかバツか？／言葉の上級者コースへようこそ

第七章　頭の中の辞書をひく――メンタル・レキシコン　185

メンタル・レキシコンの検索／意味のネットワーク／意味つながりが検索を速める／意味情報で混乱／音つながり「ご近所さん」の競争／音つながりのメリット――言いたい語を検索する場合／概念に対応した語を捜すときと、入力から語を割り出すとき／正真正銘言い間違いについて／言い間違いの単位／アクセントの情報は？／統語や意味

あとがき　217

文献案内　223

イラスト＝栗山リエ

まえがき

子どものテストや宿題のおもしろ解答は、いまやネットをにぎわすひとつのジャンルとして成立していると言えそうです。私もブラウザの端にそれらしき見出しがあるだけで、たとえどんなに急ぎの作業をしている最中であろうが必ずクリックしてしまいます。

自分もこんな爆笑系の小学生を育ててみたい、という私の願いは、神様のどんな特別サービスなのか、人生まれに見るプレミアム待遇でかなえられました。

私にとって、子のランドセルの中は常に宝箱。ハリセン状になった重要なお知らせプリント（怒）を発掘しつつお宝を収集する楽しみ。こうした珍解答ネタは、ネット上で笑いのネタとして拡散される過程でしばしば「どうしてこれがバツなのか」という熱い議論を巻き起こし、さらに多くの人の興味をかきたてていきます。

こうしたコンテンツが人気な理由としては、大人にとっても「その思考のあり方、わかるわ！」という共感をおおいに呼ぶからに違いありません。そして、実はそこから得られる発見は、個人の共感にはとどまりません。

本書でめざしたいことは、「こんなおもしろいの出ました〜」というネタを共有するだけじゃなく、そこから人間の何がわかるのか、言語学・心理言語学・認知科学的知見でもって、もう一歩深く迫ってみることです。

身近に観察された個別の例をとっかかりにして、子どもの、あるいは人間一般の心の働き、認知のしくみ、言葉の法則や性質についてどんなことが見えてくるのか。そういうことに思いをはせていただくお手伝いをしてみたいと思いました。

お子さんの、正解以外のあらゆるパターンの誤答に頭を悩ませる保護者のみなさんにとって、目の前の問いに正解はしてないけれど、子どもはちゃんと学んで成長している途中にある（かもしれない）ことが伝えられるといいな。

あるいは、そうした間違いは子ども限定ではなく、人間の知識獲得のあり方や情報利用のしくみを垣間見せてくれる貴重な機会だということを示せたらいいな。

教育現場に携わる方々とも、こうした「普通に採点したらバツ」解答を、プロ教師としての目とはちょっと違った視点から愛でて一緒に楽しんでみたいな。

そんな思いで本書を書きました。

私自身は普段、人間がどのように言語知識を運用してリアルタイムに文を理解するのかという、いわゆる心理言語学・文理解の研究をしています。

これは大きくいえば認知科学という学問分野の一部ととらえることができるでしょう。認知科学とは、人間の知覚・記憶・思考などの知的機能を司るしくみに迫る研究分野で、心理学、言語学、計算機科学、芸術学などさまざまな視点からのアプローチが含まれます。人間の脳・心の営みに広く関わるのが認知科学ですが、本書では主に、認知科学のなかでも言葉に関する題材をとりあげていきます。

題材の中心は、私の身の回りで収集されたテストの解答やら作文やらですが、その他の記事・論文・書籍からTシャツのロゴ・町の看板まで、さまざまなところからも関連する情報（ネタ）をとりあげます。参考文献はまとめて巻末にご紹介します。

本書を書きながら、自分自身の子どもの頃の欠点が、一〇〇倍に増幅された呪いのブーメランとして返されているような気まずさを禁じ得ませんが、同時に、かつて同じようなことをやらかした（ここまで派手じゃなかったけどな！）自分にしかできない仕事だという使命感も感じています。

このたび、息子の珍解答を書籍に使用することについて幸い息子自身の許可がとれておりますが（その詳細はあとがきにて）、気まぐれな思春期に突入して気が変わらないうちに「時間との競争だ！」と思って全集中で書き上げました。

それでは、どうぞ楽しんでいただけますよう。

第一章
習わないのにわかっていることば
——言語習得とその先

†「死む」は言い間違いではない

言葉を覚えつつある子どもが毎日のように見せてくれる「言い間違い」。

これ食べたら死む？
ほんとうに死まない？

まだきない（来ない）ね。
あ、こた（来た）よ。

日本語を習得する過程で幼児が口にするこうした「間違い」は、無理に修正しなくても、いつか子ども自身で修正していきます。そして小学生になるころには、知っている動詞に関してはおおむね正しい形でいつのまにか使いこなすようになっています。

中学生になる頃には、国語の時間にわざわざ「動詞の活用形を覚えろ」と言われて「なんで日本語しゃべれるのにこんなことやらされんの？」とブーブー言うところでしょうが、逆にいえば、ちゃんと習ってもないのに全部知ってたこと自体よく考えたらすごいよね？

一方、小学生になってからも、新しく知る単語についてはかつてと同じような活用「間違い」が観察できることもありますが、小さい頃と決定的に違うのは……

もうお母さんのことババアって絶対言わないから！　ちかるから！

（小三。「誓う」って言いたいらしい）

……もう全然かわいくはないことですかね。

かつてのかわいい子どももあるある語録は別の機会（『ちいさい言語学者の冒険――子どもに学ぶことばの秘密』）でたくさんとりあげましたので、本書では主に、小学生以降に見られることばの珍プレーをみていく予定なのですが、そのまえに今一度、その小さい子どもたちの「間違い」とは何なのか、共有したいこだわりがあります。

冒頭にあげた「死む」「死まない」に象徴されるケースを始めとする、小さい子ども独特の「間違い」の数々は、実は多くの言語学者や言語習得の研究者にとってはそもそも「間違い」とはされていません。

もちろん、成人の母語話者がそう言ったらそれは明らかに「言い間違い」といえるでしょうが、そうした「正しい言い方が何なのかは当然知っているけど、アクシデントで発生した」タイプの例はこの章では扱いません（でも、それはそれで科学的に価値のあるものなので、のちほど第七章でゆっくり扱います）。

†大人の模倣ではない証拠

日本語の動詞の正しい形（活用形）について、活用一覧表を覚えるなどの方法で学習して身に付けるような状況で、例えば試験で「死む」と書いたら明らかに間違いと呼ぶしかありません。しかし小さい子どもが自然に日本語を身に付ける過程では、そのような教わり方はしません。

文の最後に使うときは「くる（来る）」「死ぬ」だけど、「〜ない」に続けるときは「こない（来ない）」「死なない」になるべき、とかいう説明を幼児に対して大人がするようなことはないし、仮にしたとしても有効には働かないでしょう。

それでは子どもは、大人が使う「正しい例」を模倣して取り入れることを繰り返すのでしょうか？　冒頭にあげた「死む」「きない（来ない）」「こた（来た）」が、「そうじゃないはず」という証拠です。

だって、これら、まず大人が言うことはないので、模倣では絶対出てこない形であるにもかかわらず、単なる偶然ではなく多くの子どもがまさに同じ形を口にすることがわかっています（ここでは少数の例しかあげていませんが、類似例は多数報告されています。例えばツイッターの「#ちいさい言語学者の冒険」にもたくさん寄せられていますのでよければご覧ください）。

子どもは、大人が使っている言葉を正解として模倣することによってのみ言葉を覚えるわけではないということをこうした例ははっきりと示してくれているのですが、それでは、ただの模倣でなければ何が起こっているのでしょう。

†過剰一般化

推理としては、「〜ぬ」「〜む」で終わる、つまりナ行とマ行の五段動詞は、時には同じ形をとるという点がヒントになりそうです。子どもがよく聞く・使う形である「〜ちゃった」につながる形はいずれも「死んじゃった」「読んじゃった」と、ナ行マ行いずれも同じ「〜んじゃった」になります。

そしてここでは、子どもは、直接教えられてはいないけれど、「読んじゃった」の形を変えたら「読む」になるんだな、「飲んじゃった」だったら「飲む」だな、それならば「死んじゃった」を同じように使いたいときは「死む」のはずだ、と類推した結果だと考えることができます。

「読む」「飲む」のようにマ行で活用する五段動詞はたくさんある一方、実は現代の日本語では「死ぬ」のようにナ行で活用する五段動詞はきわめて少数派です。しかし子どもとしては、自分がすでに知っている事例から一般化された決まりを見いだし、それを未知の例（たとえば、「死んじゃった」っていうときに使われる表現に「ない」をつけたらどういう形になるのかまだわからない）にも応用してみるという能力には小さい頃からとても長けていて、その能力により子どもは、まだお手本を示してもらったことのないような表現までも身に付けていくことができるのです。

- 「来る」っていう動詞の活用は例外的な形（変格活用）なので、語幹の発音も変わる
- 「読んじゃった」と「死んじゃった」は、「んじゃった」形はたまたま同じ活用語尾だけど、終止形では違う

というような個別の違いまで最初から網羅することはせず、例えば、「〜ない」「〜た」に続く形は共通しているようだとか、「〜んじゃった」→「〜む」とかいう大きな規則で一般化を試みていることがわかります。

このような類推のことを「過剰一般化」と呼びます。つまり、それが当てはまらない細かい例外までちょっと拡張しすぎた一般化、ということです。そのうえで、個別の細かい違いは、徐々に微調整して身に付けていくというわけです。

なので、冒頭にあげた「死む」だの「こた(来た)」だの「きない(来ない)」だのといった例は、「間違い」というよりは、その子の中での暫定的な文法知識の反映、と見なされます。

最終的に大人と同じ知識に収束する過程として、この過剰に一般化された(大人からしたら間違った)言葉遣いは、いつか消滅してしまうけど、言語習得において、最終的に正しい知識に至るために必ず通る道だといえるでしょう。なので、ある意味「正しい」。

これは日本語に限った話ではもちろんなく、英語の例ではgoの過去形としてgoedという形を子どもが使うことはよく知られています。

もっというと、ある時点まではwentという形を使っていた子どもが、発達の段階が進むにつれてgoedという間違った形を使うようになり、最終的には大人と同様にwentを正しく使う、という変遷がみられるようで、これはある段階まではたしかに大人の模倣だったものが、やがて子どもが多くの規則動詞に触れることによって培った知識（-edという形が過去形を作る）を、本来例外である不規則動詞に過剰に一般化できるようになったことを示しているのです。

†いつごろまで「死む」って言うのか

言葉の知識は、ざっくり分けて、どれだけ単語を知っているかという語彙の知識と、それらの語をどのように文構造の中に、必要に応じた形をとらせたうえで、どのようなまとまりをもって配置するのか、という文法知識に分けることができます。

前者の語彙力のほうは歳をとっても増やし続けられるので、何千語に達したら完了、というような基準はありませんが、後者の文法知識については、だいたい六〜七歳ごろにはいったん母語における習得がおおむね達成されるといわれています。

この時点で、まあ間違いなく語彙知識のなかに入っている（語として知っている）「死ぬ」「来る」などの基礎的な語については、それらの中には多数派と異なる活用形を取る場合もあることも含めてほぼ間違いなく使いこなせることも期待されます。逆に言うと、もう「死む」とか言ってくれないのか……と寂しくなる段階です（1－1）。

ただ語彙のレパートリーは大人にくらべて限られているので、まだまだ未知の語に出会う機会は多くあります。なので、幼児時代に花盛りだった過剰一般化の例は六～七歳以降でもたまに観察できたりもするのですが……「もうお母さんのことババアって絶対言わないから！」からの「ちかるから！」も、おそらくその時点では主に「神に誓って……」の形に馴染んでいて、「ひかって→ひかる」等から類推したのでしょう。

1-1　と思ったら小3でもやってた！　ドンマイ！（ちなみに、教材としてとりあげられたこのお話の中では登場人物が戦争で死んでしまうのでした）

さて、ここではいったん、動詞の活用に絞った話をしています。大人でも年端のいった子どもでも未知の動詞はあるとはいえ、それらはたいていちょっと難しめの漢語系や外来語由来、あるいはそれに類する造語だったりするので、活用形自体は比較的少数のパターンで済むことがほとんどでしょう（黙食「する」、ゴン攻め「する」）。

一方、動詞の活用以外の例ではこのようなものもありました。

（当時小一の息子と時代劇調で会話してて）

私　それはそちの勘違いであろう！

息子　でも、こちは……（一人称の意）

ここは「某（それがし）は」と返せば満点ですが、そこはまだ小一。だけど、こ・そ・あ・ど言葉の体系を瞬時に当てはめて、「時代劇調における一人称は？」という未知の表現を類推により導き出しているところは、まことに大儀であった。

†ちゃんとやすらないと手を切ります

左の図1－2は、夏休みの工作で金属板を切ってやすりをかける工程を本人が説明しているところ（鎧を制作。小学生にしては気合い入ってたね）なのですが、「やすり」という名詞から、「やすりをかける」という意味で「やする」という動詞があることを類推しています。

「走り」「眠り」「遊び」など、動詞の連用形から名詞の形を作れるというすでに習得した知識を使って、「じゃあ「やすり」という名詞は「やする」という動詞と関係しているということだろう」と考えたのでしょう。

実際にはそのような動詞はないので、これも広く言えば過剰一般化の一例といえます（「やする」という動詞、本当に使っている人はいないのか確認したくなってネット検索したところ、子どもが「やすり」を動詞化して使ったのをきいて、そういう動詞があるのかググってしまいました、というまさにお仲間エピソードをふたつも見つけてしまいました）。

さて、「眠り」→「眠る」のように、ある語の派生形からもとの形に戻すという類推を、もともと派生形ではないものにまであてはめて、実在しない語をつくってしまうことを逆成《ぎゃくせい》（backformation）といいます。「やする」もこの

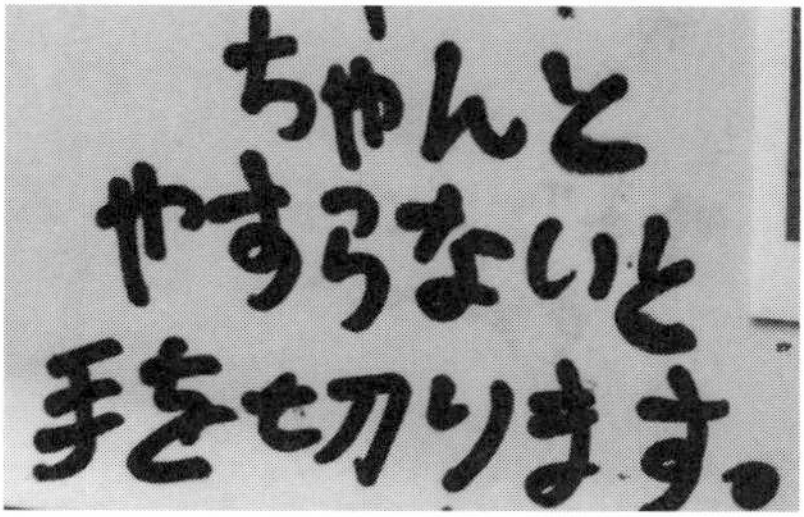

1-2

逆成語の例だといえるでしょう。

英語の例だと、editという、今では誰でもおなじみの動詞ですが、これはeditorからの逆成によりできた語だそうです。今日では、editorよりeditのほうが本家を凌駕してよほど頻繁に使われていますね。そういえば、こんなのも。

いろいろながたがある（いろいろな型がある）（小四）

「型」という語は、単独で使われるより、「〇〇型」というような複合名詞の一部として使われることが多いかもしれません。複合語においては、あとにくるほうの名詞の最初が濁音《だくおん》となる（連濁する）ことがしばしば起こります。つまりテンテンがつく（無声音が有声化する）ということです。

複合語は単語二つが合わさってできているので、ひとつひとつ取り出しても単語として成り立つはずだという知識をもとに、ここでは「〇〇型（がた）」という複合語の一部である「型」を抜き出しても語として成り立つと判断したのでしょう。これも、ある種の逆成といってもいいでしょう。しかしどうやら連濁の結果起こるテンテンまで一緒に抜き出してしまっています。

もっとも、もともと「型（かた）」という名詞はれっきとして存在するのですが、ここでは本人が、単独語として知っているはずの「型（かた）」という語でなく、複合語から逆に類推することにより「○○型（がた）」という形を選択してしまった、というところが面白いところです。

こうしてやらなくていい場面でまで（過剰）一般化システムは引き続き稼働しているのですね。こうした例は巷にたくさん見られるようです（左は川原繁人『音声学者、娘とことばの不思議に飛び込む』より）。

わたしのぐみはね……（わたしの組はね……）（幼稚園年長）

そういえば、アメリカはハワイ州に滞在していたとき、現地の柔道や合気道の体験教室で、いずれも現地の先生（英語母語話者）から「ギは持っているか。ギはよかったら貸してあげるよ」というようなことを言われて、よくよく聞いたら、胴着のことだったんですが、「柔道着」「合気道着」というからには、そのために身に付ける服装という意味の部分が「ギ」にあたるのだと非母語話者には類推されたのですね。私の感覚では「着」は単独ではあくまで「き」なので、意図がわかるまでしばし時間がかかりました。

なお、大人も「インスタ映えする」ことを「映（ば）える」といいます。大人なら「映（は）える」という語の本来の形もちゃんと知ってるくせに、と思うかもしれませんが、これはあえて逆成語の形をとることで、一般的な意味の「映える」というよりもっと狭い（インスタグラム限定）の意味で使っている符号として機能しているのかもしれません。

†大人よりも複雑な構文？

習得済みの知識を積極的に応用した結果、母語においても大人だったら思い付かないような構文が小学生（小二）から繰り出されることもあります。

息子　パールハーバーって日本軍はどれくらいの被害を受けられた？
私　日本軍は攻撃したほうやろ、アメリカ軍が被害受けたんやろ。
息子　受けられた（って言ってるの）！

言わんとすることをわかってもらえなくて憤慨していますが、本人は「被害を受けられた」というのは、「被害を受ける」のさらに受け身形として「被害を受けられた」と言っていたのでした。その意味では、たしかに間違ってはいない……わかってあげてなくてゴメン！

ここで大人だったら、「（被害を）受ける」という動詞はすでにそれ自体受け身の意味を持っているので（ちゅうかそれしかない）、そこにさらに受け身要素を加えて受け身の受け身みたいな二重構造をつくるというような複雑なことは避けて、「被害を及ぼした」などの、よりシンプルで適切な語彙を選択するでしょう。

あえて受け身の受け身、という面倒な表現をなんでわざわざ……。実はこの受身形は、一般的な能動態→受動態という作られ方をしていません。直接受け身だったら

米軍が被害を受けた→被害が米軍によって受けられた（直接受け身）

というふうに能動文の目的語が受動文の主語になるはずですが、この内容だとその言い方は違和感あるし、意味も異なってきますね（「被害が米軍を……」で言い換えられない）。

ここで彼が使ったのは、対応する能動文を持たない自動詞を使った日本語特有の間接受け身（「雨に降られた」等）と共通する性質を持っています。

米軍が被害を受けた→日本軍が（米軍によって）被害を受けられた（間接受け身・不利益を被ったニュアンス）

間接受け身は通常、そのことによって、誰か（ここでは、全体の主語となっている「日本軍」）が何らかの不利益を被ったというニュアンスを伴います。「日本軍が（米軍に被害を）及ぼした」だと伝わらない、「相手が被害を受けたことの影響をさらにカウンターで受けた」というところまでニュアンスとして本当に出したかったのだとしたら、できあがりの形は多少へんてこでも、一理あるチョイスではあるわけです。

ここでは小二児は、動詞に「れる、られる」という助動詞をつけることによって受け身の意味を表すことができる、というそれ自体は正しいきまりを、大人よりもずいぶん自由に使っている（使いこなしている）ことが見て取れます。結果として、受け身の受け身というか、大人にしてみたらかなり（無駄に、と言ったら悪いけど）複雑な組み合わせを操るに至っているようです。

そういえば、保育園のころ、（手を洗わないまま食べ物を触るとバイキンだらけだよ、からの）「これ食べたら死む？」のあと、必死で手をゴシゴシ洗いながら「手についたバイキン、全部死にさせるの」言っていたのを思い出しました。

この場によりフィットした表現としては正しい使役形「死なせる」、もしくはそれ専用の使役動詞「死なす」や他動詞「殺す」あたりでしょうが、自分がすでに知っている動詞「死む」もとい「死ぬ」に、同じく自分が習得済みの使役表現「させる」をつけるという、より一般的なルールを使ってみるほうが、個別にフィットする語を選ぶことに先だっているのと似ています。

さらに長じては、受け身の受け身、つまり同じ意味の成分を二重に計算するという入れ子操作がかかってくるあたりは、まあ小学生になって計算能力が進歩している……ということにしておこう。

日常生活でも、まあまあなんでこれだけ無駄に好きこのんで体力消耗するのか、という時期ですね（しかし「死みさせる」とは言わなかったんですね、というご指摘が。ほんとだ！）。

†言語を観察する力　ツッコミ能力?

小学生以降の言語発達において、以前よりも顕著にみえてくるのがメタ言語能力かと思います。つまり、言葉を、コミュニケーションの手段として使えるだけでなく、その言語表現そのものを客観的に観察・分析したり、意図的に操作する能力のことです。

小さい子どもがしりとりができるようになるのも、ある語を、意味とは独立したより小さい音あるいは文字の単位に分割して、それをゲームのルールに従って操作するという、まさにメタ言語能力によっています（しりとりについては第五章でも扱います）。

この、いわば、言葉が表現する内容というより言葉の表現そのものにツッコミを入れる力は、小学生の日常とともにあります。たいていお下劣な方面に発揮されることが多いので、大人としては正しく愛でる気にならないだけです。以下、下品ではない貴重な例（小六）です。

（「目黒の殿様が鷹狩りを……」と書かれている資料を読んでフト思ったらしい）

うさぎ狩りとか鹿狩りとかと違って、なぜ鷹狩りは狩られるほうでなくて狩る側のほうをいうの？

「名詞＋狩り」という、もともと動詞が名詞化したもの（狩る→狩り）を含む複合語は、どれも表面上は「名詞＋動詞の名詞形」という同じ形をとります。そしてそれだけではなく、この名詞と、名詞化動詞の間には、ある文法的な関係が介在しています。

・うさぎ狩り
・鹿狩り
・鷹狩り

これらの例では、最初のふたつはいずれも、最初の名詞部分は「狩り」の目的語という関係です。つまり、うさぎを狩るのがうさぎ狩り、鹿を狩るのが鹿狩り。だけど、鷹狩りは鷹を狩るのではありません。鷹がうさぎなどの獲物を捕まえるわけだから、「狩り」をする側。となると主語かな？

だけど実際には、狩りをする主体は人間（殿様とか……）で、鷹はその手段として用いられているので、厳密には主語というよりは「（人間が）鷹で獲物を狩る」という、動詞に対してその手段を表す副詞的な文法関係になるというのが正しいでしょうか（1-3）。

この対比パターンは実はたくさんあります。

・レタス栽培
・ハウス栽培

・床拭き
・水拭き

よくよく考えたら、表面的には「名詞＋動詞の名詞形」という同じ形をしているのに、どうして「ハウス栽培」といわれたら「ハウスを栽培すんの？ は？って一瞬思っちゃったわ」とか、「レタス栽培」と言われて、「レタスを使って何か栽培すんの？ってとっさに混乱したわ」っていうことがないのでしょうね、私たちは。

「表面的には同じでも内部構造があるのか！」ということに興味を持たれた方は、伊藤た

1-3　どっちが鷹狩り？

かね・杉岡洋子『語の仕組みと語形成』にもっと詳しい解説や豊富な例があります。実は動詞部分に対して名詞部分が主語の関係を持つようなパターンは存在しないという不思議も。

「そんなことない」という反例を思いついた方や、「拭き」の部分の読み方「ふき」vs.「ぶき」が気になる方はぜひ言語学者を目指していただきたいので、まずは巻末の文献案内をごらんください。

大人は、常識の助けはもちろんのこと、さらにもう「床拭き」も「ハウス栽培」も人生重ねりゃいいかげんセットで記憶しているので、わざわざ「床」と「拭き」やら「ハウス」と「栽培」やら「鷹」と「狩り」やらのパーツに分けたうえで文法的関係を分析するようなことは、意識無意識にかかわらず行ってはいないのかもしれません。

つまり頭の中の辞書に「鷹狩り」という表現がそのまま見出し語になって収まっている、そんな表現も多くあると思われます(語彙化)。分析的な能力を発揮するより、年の功に伴ってセットで単語として記憶されたエントリーの豊富さを駆使したほうが言語活動はスムーズに運ぶことでしょう。

一方、子どもの経験値ではまだそこまでの境地に達していないからこそ、「鷹」と「狩り」を分けてその関係を意識してみた。その結果、「鹿」と「狩り」の場合とは何かが違うことに気がついた、ということがあり得るのかもしれません。

適度な経験不足と、適度なメタ言語知識の発揮により、表面的には見えない言語の決まりに気がつきやすいということですね。「日本語の隠れた法則に気づくことができるのはたいてい子どもか外国人」ともいわれる所以です。

†構造的多義性

メタ言語知識が発揮されるべき案件として重要なのが、言語のもつ曖昧性・多義性への気づきです。先日息子（小六）がいきなりこんなことを言い出しました。

ちょっとききたいんだけどさ、「すごく評価を下げられてる気がする」っていうとするじゃん、それってすごく評価が下がってるって意味なのか、評価下げられてるなってすごく伝わってくるってことか、どっちの意味なの？

どうやら、「すごく」が「下がる」にかかるか「気がする」にかかるかという多義性のことを言っているようです。

・すごく［評価を下げられている］気がする（＝評価を下げられている気が、すごくする）
・［すごく評価を下げられている］気がする（＝すごく評価を下げられている、そんな気がする）

単語の並び方については一通りしかないのに、その背後にある構造、つまり語と語の関係性、階層的な位置関係というものが二通り以上発生するこのような事態を「構造的曖昧性」あるいは「構造的多義性」といいます。構造的曖昧性には他にどのようなタイプや例があるかについては第四章でもう少し詳しく扱います。

構造的曖昧性を意識できるだけのこのメタ言語能力は、美しく使えば、「この表現にはこのような解釈もかけられている」というような言葉の芸術を楽しむ素養となることでしょう。書籍のタイトルを例にとれば、川端康成の『美しい日本の私』(「美しい」がどちらにかかるのかあえて複数の解釈を許している?)はよく知られています。また近刊では和泉悠『悪い言語哲学入門』などいったい何通りを意図しているのか?

しかし逆手に取れば、「本当はこういう解釈もできる」という状況を利用して、相手の認識と言葉の意味の間に生じるずれを意図的に仕組んで利用することもやろうと思えばできてしまいます。例えば、「危険な原発はすべて廃止します」という公約のもと、反原発派の支持を得て当選した政治家が、実際にはすべて稼働させ続けたとして「いや、原発が危険だから廃止すると言ったわけではない。原発のなかでも危険なものは廃止するつもりだったが、どの原発も危険ではないと判断した」と言ったら反論できるでしょうか（「危険な」という修飾語を、「複数の原発のなかで、危険でないもの」という意味に使うか（限定的用法）、一般論として原発の性質を示すものとして使うか（非限定的用法）の違いだが、表面的にはどちらにでもとれる）。

こうした、本来は人のコミュニケーションを豊かにするはずの言葉の性質を、悪意を持って利用するケースから身を守る知恵も、こうした言葉への気づきの力が大きく花開く小学生時代から大事に育ててほしいと思います。

そしてこの能力は、自分たちが使っている言語に対する気づきだけでなく、外国語との出会いもとても豊かにしてくれます。

†小学校英語教育の現場に平野レミ先生を！

息子が小四のときの学級公開（授業参観）で、外国語（英語）の授業を見てきました。自分も大学で英語教育に関わっている人間なので、ここでも一見ツッコミ系のお話になってしまうのですが、ここで伝えたいことの中心は小学校英語教育の現場への批判ではありません。ある児童の聡明さと機転に舌を巻いたこの感動をぜひとも皆さんと分かち合いたいのです。

　この日の単元は"What do you want?" "How many ＿＿ do you want?" との問いかけに答えながら、I want ＿＿, please. という文でもって欲しい物とその数量を表現するというお題でした。例えば I want two apples, please. みたいに。

　先生はまず、果物や野菜の名前と、それの数量を表現する練習としてフラッシュカードを使い、"One apple", "Three apples" というふうに、授業の後半で出てくる名詞とその数え方をたくさん練習します（1－4）。

1-4　こういうやつです

　次に先生は"What do you want?" と子どもに問いかけ、カードが示す内容を答えとして言わせます。トマトが三つ並んだカードを示して"What do you want?" "Three tomatoes, please." てな具合ですね。子どもたちもはりきって"What do you want?" "Two eggplants, please." "Here you are." "Thank you." って、小学生そんなにナス欲しいと思ってないよね、とかそこはもちろん気にしない気にしない。
　続いての応用編は、ピザ屋さんとお客さんの役割に分かれて、好きなピザのトッピングを尋ねる（答える）練習です。ピザのイラストの表面が白紙になっている横に、各種トッピングがあしらわれたプリントが配られ、子どもたちはそこで自分好みのピザの絵を完成させ、隣の子と交換します（1－5）。

そして先生が What do you want on your pizza? と質問するのに応じて、子どもたちはめいめい自分やパートナーの選んだトッピングを数量とともに説明することになっているのですが、この絵のなかにある具材と、文字で書かれている表現をそのまま使うと、cheese や parsley はここでは不可算名詞（チーズ自体は塊としての物質扱い、パセリも葉っぱひとつひとつとか数えられるものでなくバサっとしたまとまり）と扱われるところ、three cheese とか two parsley っていうちょっと変な英語になっちゃうんですね。

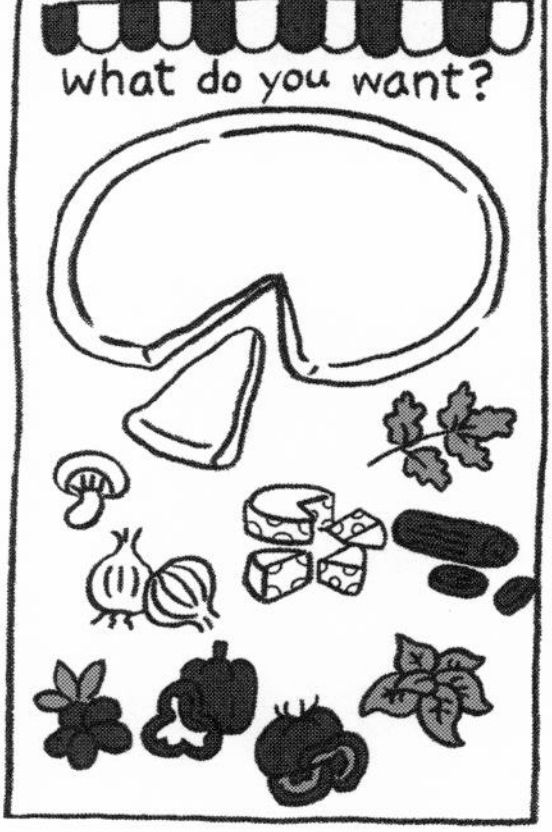

1-5　応用編。ピザのトッピング

まだ小学生だから、可算だ不可算だとか、「数えられるものだけは複数形にする」「薄切りにした何切れ、とか小さく切った一片の、とかいうときは a slice/x slices of とか a piece/x pieces of という表現を使う」など、包括的に教わってもいません（たぶん）。

教室では、英語教科担当の先生のほかに学級担任の先生もいらして、お手本役として最初に指名されてたんですが、「このプリントにある範囲の表現にとどめる」「習ってないことは言わない」という制約の下だからか、多少困惑気味にI want two cheese, please. と答えておられた記憶があります（正確にどうお答えになったのかは覚えていないのですが、とにかく結果として本来数えないものを無理矢理数える羽目になってました）。

ピザ屋でピザのトッピングを尋ねられて答えるという限定的な状況ではこんなことをとやかく言わなくてもおそらく通じるとは思いますが、のせてほしいチーズの分量をいう場合はtwo cheeseもtwo cheesesも本当はヘンです。前者はそもそも数えられない、物質としてのチーズ（よって複数形は使わない）にtwoを無理矢理つけている点。後者は、ここであえて複数形にすることで、チーズの分量じゃなくて種類を表す（チェダーチーズとモッツァレラチーズと……等）ことになってしまっているという点。

単数形複数形を明確に表示しない日本人の感覚（一人でも大勢でも「先生」「友達」「子ども」っていいますよね）からしたら、それはどうでもいいでしょ、言いたいことは伝わるでしょ、と思ってしまいますが（私も「いや、それくらいわかってくれよ」って正直思ってます）、英語の感覚としてはやはり大違いで、

You have egg on your face.

といえば物質としてのタマゴが顔についている（食べこぼしが付着）様子を表します（さらに転じて、人様に対してみっともない状態を示す慣用句だそうで、ちなみにYou have egg on your chin. だと、「社会の窓が開いてる」という意味で使うそうです）。

しかし、ここにanをつけて

You have an egg on your face.

といえば、タマゴ一個がごろんと顔に張り付いているような謎の状態としか解釈されないというのです。an ひとつにそんなパワーが。

さて、ここから先が一番お伝えしたいところです。

くだんの授業中に戻りますが、次にあてられた女の子。自分の描いたピザの絵（1-

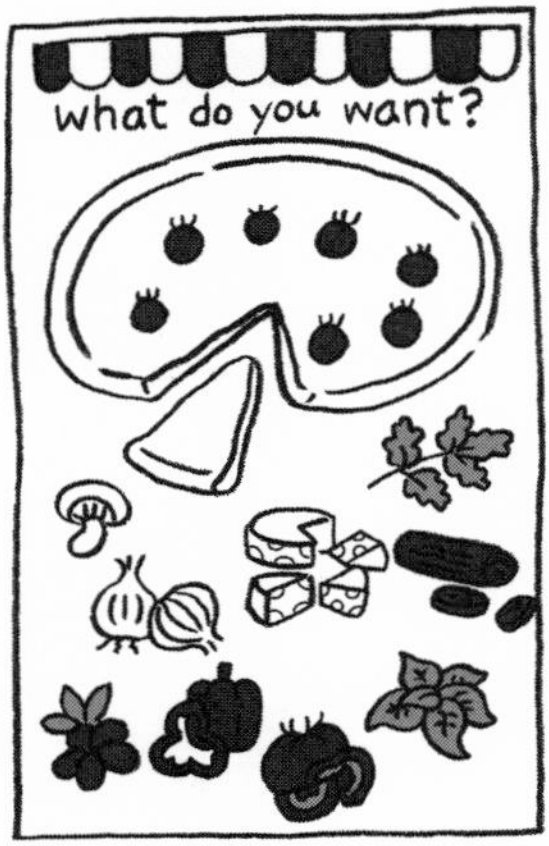

1-6 「プチトマト……」から始まるピザの説明（再現イメージ）

6）を示し、先生からの定型の質問を受ける前にまずトッピングを指しながら、はにかみがちに「プチトマト……」と問わず語りの前置きから始めました。

それをこの目で見た私がどれだけ感動したことか！ 興奮のあまり同席していた他の保護者仲間達に伝えてまわりたい衝動にかられましたが、授業の迷惑なのでガマンしました（授業参観でオカンが悪目立ちするって、息子にはトラウマ級のダメージでしょうから）。なぜ普通のトマトじゃなくてプチトマトと前置きしたかったのか。

きっと彼女は、さっきフラッシュカードで two tomatoes と練習したあのまるごとのトマトの数え方と、ピザのトッピングとして薄切りにしたトマトは同じ数え方はできない気がする、と直感で気づいたのではないでしょうか。「切ったトマトは slices of...」とつけます、と明示的にはまだ習っていないにもかかわらず。

その結果、トマトが数字をつけてそのまま数えられるまるごとの状態でピザにのっていてもおかしくない状況を考え、言語学的直感と現実世界の常識との折り合いをつけた結果がまさにプチトマトだったんだと思います（たぶん）。で、教材で指示されているトマトとはちょっと違うので、最初にそこに断りを入れることから始めた、と。

彼女の聡明さに感動しつつ、そこまで小学生に気を遣わせんといてくれ〜という思い、そして、そうとはいえ限られた時間内で導入した知識を超えずに授業を成り立たせなければならない現場の先生の苦労、いろいろ考えさせられました。

ちなみに、息子は素直にまるごとレシピでした。現実世界の常識との折り合いをつけるまでは考えが至らなかったようです（1－7）。

1-7　息子の描いたピザの絵（再現イメージ）。こ、これは、まるであの有名料理研究家（＊）の……

昨今、小学生での英語教育の是非がさかんに議論されていますが、肯定的に考える理由のひとつに、小学生のうちに外国語との出会いをとおして、むしろ自分の母語を改めて客観的に、よりよく知ることができるという点があると思います。

「トマトって数えるの？」（丸ごとお店に売ってるトマトと、ピザにのってるトマトは言葉における扱いが違うの？　英語と日本語でも事情が違うの？）というのもひとつのきっかけですし、小学生のこうした「こういうところが日本語と違うのか」という「気づき力」がこのようにあざやかに発揮される機会、そしてそれを目にすることのできる機会は日常的にあふれていることでしょう。毎日授業参観に行けないのが残念です（来ないで　by 息子って？）。

＊　平野レミ先生のこと。常識にとらわれない、野菜の「まるごと」使用メニューで知られる料理愛好家／料理研究家。「まるごとブロッコリー」はあまりにも有名だが他にもタマネギ、ニンジン、キャベツ、ピーマン、あらゆるものをまるごと使用。そんな彼女のピザならば、この授業、いける！

第二章
逆さま文字、何が逆さま?
——文字の認知

うちに、無料でもらってきたTシャツがあります（タダ大好き）。ハワイ大学を訪れたときに通りかかった天文学部のオープンラボ的イベントの在庫整理で放出していたもので、片手をいっぱいに伸ばした女の子のイラストとともに大きくＩＭＵＡと書かれています。

ＩＭＵＡとは、ハワイ島Maunakea山に建てられた三〇メートルの天体望遠鏡（ＴＭＴ：thirty meter telescope）の愛称で、ハワイ語で「前に進む」という意味だそうです。それにはおそらく深い意味と背景があるのですが、それはまた別の機会にして本題に入りましょう。

これを着て何気なく鏡の前に立った息子、「アウミって誰？」。「ああ、それホンマはＩＭＵＡって書いてあんねん。鏡に映って反対になってんのに四文字とも左右対称やから最初からＡＵＭＩって書いてるように見えるの、むっちゃ偶然やな」と私。

するとすかさず息子、鏡の中を指さしながら、「でもこの女の子の手見てよ。文字は反対になるのにどうして絵は反対にならないの？」。

……出たっ！　認知科学どストライクのご質問。

†鏡の中は逆さまなのか

2-1　Tシャツの本来のデザイン(左)、それを鏡に映したもの(右)

「鏡に映ると左右が反対に見えるのはなぜ？(上下は反対にはならないのに？)」という問いは、なんとじつは紀元前プラトンの時代からの難問とされており、古今の知の巨人たちの英知を結集しても「謎のまま」とされている(二〇一八年一〇月一九日放送の『チコちゃんに叱られる!』によると「わからないということがわかっている」という結論だった)そうです。

しかしながら私には、答えがわからない以前に、そもそもその問題からして理解できないまでした。「鏡に映ると左右が反対に見えるのはなぜ？」と言われても、私にとっては「別に反対になってませんけど？」としか思えなくて。

鏡にとってその前にあるものがそのまま映っているだけで、強いて言えば奥行きは反転すると言えても、水平方向の情報は絶対変化しないでしょ。それを人間が勝手に「もし鏡に映っている像が本当にこちらを向いている人間だったとしたらその人にとっての左右は……」って想像してるだけでしょ、と。

なのに、あたかも自然現象として「ほらね、左右が反対に見えるよね」ということを当然の前提にしたうえで「……のはなぜ？」にどうしてもついていけなかったのです。

だからこのとき、ふいに息子に、「この女の子の手は鏡に映しても反対になっていないのに」と、逆にそっちが当然の前提のように言ってもらえて、まさに同志を見つけた気分でした。そこでさらに、タイトルもずばり『鏡像反転』（高野陽太郎）を読んで、じつは巷の三〜四割がそういう仲間らしいことを知ったのでした。ちょっと安心（こちらにその要点がまとめられています。日本心理学会「鏡に映ると左右が反対に見えるのはなぜ?」https://psych.or.jp/interest/ff-21/）。

息子が「ＩＭＵＡ」の鏡像を最初何の疑問もなく「ＡＵＭＩ」と読めたのは、この四つの文字が偶然すべて左右対称だったからでしょう。そもそもＩＭＵＡなる名称も知らないため、この時点では本来の文字列と反対になっていることを認識すらしていません。

ならば下のほうに書いてあるMaunakea And... の部分についてはどうだったんだと訊

きたいですが、そこまでは見てなかったんでしょうね（鏡文字についてはあとで改めて）。

どのような対象であれ、鏡の面に対して垂直な方向（＝前後の奥行き）のみ反転した物理的な反射が反映されているにすぎないのですが、上述の高野によると、鏡に映った像（手を上げた女の子とか）と文字は認知的には異なる扱いをされると説明されています。

ここではイラストに代表されるような通常の像（イメージ）に関して、その「映す対象vs.映った状態」の間の、あくまで物理的・光学的な現象（「光学反転」）を当たり前のこととして捉える限りにおいては「左右が反対に映っている」と実感されることはないでしょう。感覚的な言い方になおせば、鏡面の前にあるものが忠実に反射されている、ただそれだけ（私はココ止まり）。

しかしさらに、鏡に映ったこちら側を向いている人物像（自分）の視点を仮定して見た場合の左右と、実際の自分自身の側からの左右とは逆だという「映す対象の視点vs.映った状態の視点」の関係までを自然な認知の一部として発動できる人にとっては、鏡を見た瞬間「左右逆だよね！」と感じられ（「視点反転」）、またこの認知におけるオプション部分の現れ方には個人差があるというのも高野の発見ということです。

私はこれを実感したことございません側の人間ですが、スマホでgoogle mapを表示できても自分の向きと一致していないと地図が使えずスマホもぐるぐる、自分もぐるぐる、という視点変換能力欠如ぶりに関係があるような気がしてなりません（しかし、もっというと、「逆かどうか」「反転しているか」と言われたとて、それってどういう意味で言っているのかの解釈にも個人差があるように思うので、これは視覚情報処理の領域なのか、言語表現の解釈の領域なのか、その両方なのか、まだまだ検討の余地はあるように個人的には思っています）。

さて「手をあげた女の子」とか「自分の姿」には、あらかじめかくあるべきだと決まった向きや姿勢は特にありませんが、一方、自分の知る言語の文字の場合は、左右の向きも含めてこのような形態でなければいけないという「正解」の知識を我々は持っています。例えば「b」と「d」は違う文字で、カーブの部分がどちら側に来るかは絶対的に決まっていて、反転させるともはや違う文字となります。

光学的には情報に忠実な鏡像と、この「正解」の関係（「記憶された正解vs.映った状態」、引き続き高野によると「表象反転」といいます）は間違いなく左右逆になりますので、偶然その文字がもともと偶然左右対称形でもない限りは、万人にとって、鏡に映った文字には考えるまでもなくただちに異常が検知されます。

なので、このTシャツにおいても、下のほうに書いてあるMaunakea And... のなかの小文字のa, u, n, k, e, dのそれぞれは、アルファベットを覚えてさえいればですが、鏡に映った状態で見れば即座に違和感をおぼえるはずです。

これについても息子の反応を確かめたかったですが、一瞬でどっかに遊びに行っちゃって訊けなかったのが残念です。なお、うちの小学生にこういうことをあとから改めて訊いて真面目に答えてもらうには、IMUAの四文字が全部左右対称だったこと以上の奇跡を要します。

†鏡文字の謎

しかし、この「正解」の記憶（記憶された、文字の形や向きの情報）っていつの間に身についているのでしょう。

例えば、先ほど例に挙げた「b」と「d」の区別として、縦棒と丸っこい部分が合体したああいう形、だけでは正確でなく、丸い部分が右側についている（縦棒は左側）か、その逆で丸部分が左側（縦棒が右側）という情報も含めて記憶されている必要があります。

ローマン・アルファベット（以下「アルファベット」）圏の子どもも両者をよく混同することが知られていますが、ブラジルの子どもたちを対象に行われたごく最近のTorresら

（2021）の調査データを分析したFischerら（2021）の研究によると、ある文字（一文字だけ単独提示）を三秒見てから、目隠しした状態でその字を書いてみる、というちょっと難しい課題において、左右対称でない文字の反転（鏡文字）が一定割合見られたことに加え、左右対称の「b」と「d」に至ってはわざわざその鏡文字バージョンを書くケースのほうがむしろ優勢という驚きの結果が得られています。

子どもにとって少し難易度が高い場合（左右対称で混同しやすい場合や、左→右の自然な筆遣いの方向の逆を行く場合を、しかも目を閉じて再現）は、左脳で処理された情報の反転情報が蓄えられた右脳のほうの情報が優位になってしまうのだろうか、などと推測されており、今後のさらなる追加データやその検討が待たれるところです。

鏡文字の生まれる理由としてそのほかには、文字の形態に関する多様な情報のなかでも、水平方向の向きという情報に関しては発達段階の子どもの記憶に定着しにくいなどの意見もあります。

しかし「鏡文字が生まれる」というと語弊があるかもしれなくて、そもそも人間の視覚認知においては、向きに関係なく同じ形は同じものとして認識する（mirror invariance、日本語の定まった訳語はないようですが、「鏡像恒常性」というべきか）のが基本的なあり方だ

2-2 「ジュラシックパーク」の「ジュラシ」までことごとく鏡文字である意味すごい

と実は考えられているのです。

たしかに右向きでも左向きでも、手をあげている女の子を含め、同じ人の顔・像・物体はその向きに関係なく同一のものとして認識できないと困るでしょう。なので、こと文字を読み書きするという営みを子どもが身につけるにつれて、「左右の向きの違いにかかわらず形が認識できる」という能力を、文字を対称としたとき限定で捨て去っているのだ、ということになるのです。

こうした、鏡で映したように文字単位で反転するという、その名の通りの鏡文字は、もちろんアルファベット圏以外の子どもたちにも広くみられる現象で、私の手元の例もここでご紹介しきれないほどわんさかありますとも。ああこの頃は可愛かった……(遠い目)。

これらは、文字全体がまるごとの記憶単位をなしていて、その形状を把握・記憶・取り出しを行うどこかの段階での難しさだと位置づけられるでしょう。漢字も含めわりと複雑な形をした文字なのに、キレイに鏡像で(間違って)書けちゃうということは、先ほどのアルファベット圏の子どもたちの例で議論されたように、たしかに脳左右の半球に、正しい方向の画像と、それを反転させた画像がそれぞれ存在していると言われてもうなずけてしまいますね。

それにしても、日本語で使われる文字は、かな、漢字とも、アルファベットより少し形態的に複雑ですよね。少なくともアルファベットは、空間的に分離した部分は、iやjの点の部分以外にはありません。左右に分離できるパーツに至っては存在しないといえます(ローマン・アルファベット以外の、世界の書記システムの多様性やその習得も興味深いですが、ここではいったん身近な例に絞って続けます)。

さて一方、日本語では、一つの文字を空間的に分断しようと思えば、かなり多くの場合

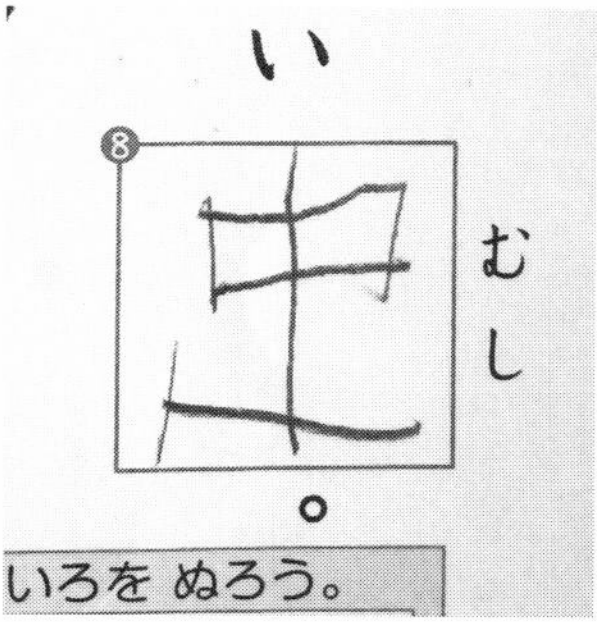

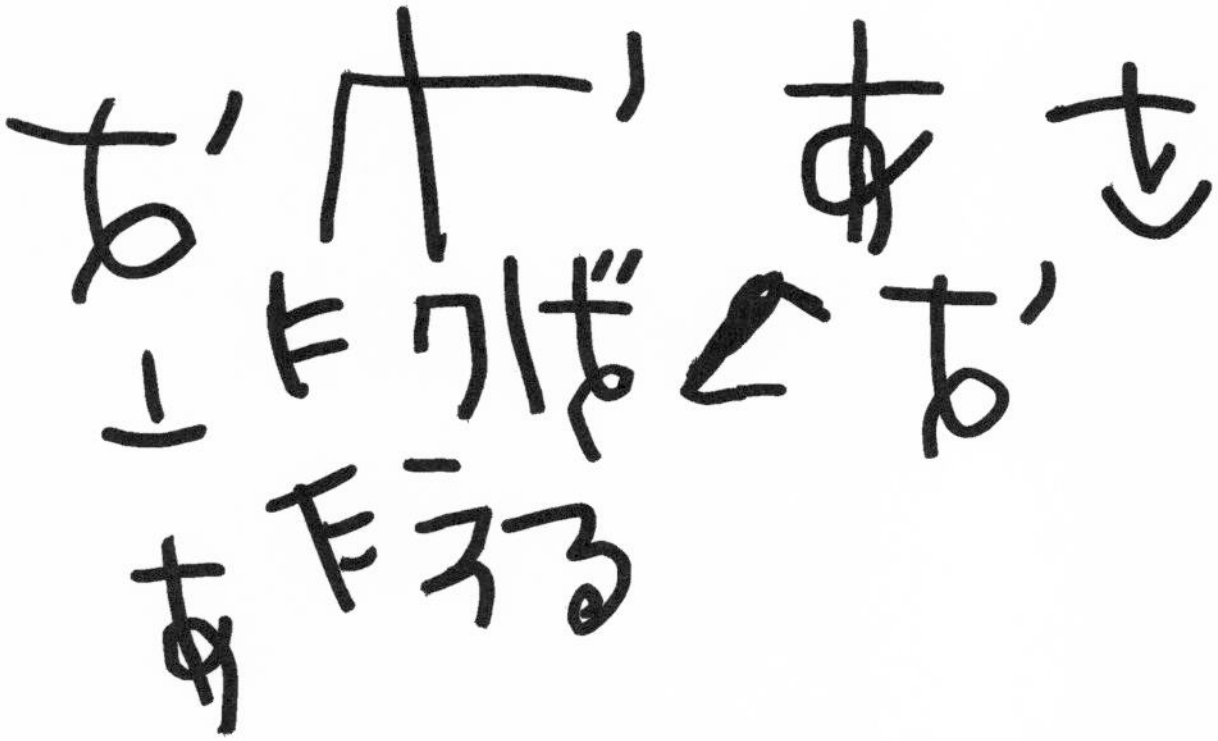

2-3（左上）「おおきさ 253 m せんかんやまと」の「か」が鏡文字
2-4（右上）「虫」が鏡文字、いずれも小学校 1 年生
2-5（下）「お母さんには罰を与える」の意。「お」「か」「ば」の文字の一部のみ反転している。小学校入学前に書いた、はじめての脅迫状

可能です（そうして分解したパーツに意味が伴うかどうかはさておいて）。そこで例えば前頁の2‐5のような「鏡文字ではないけど逆さ文字」の生まれる余地があります。ここでは「お」「か」のテンを除いた部分、あるいは「ば」の右側部分（テンテン除く）のみが反転していています。まずはそうした「全体が反転しているわけではない」パターンについて以下もう少しみていきましょう。

†文字の分解と組み立て

2‐6に挙げたのはへんとつくりを左右逆にしてしまうパターンです（「陸」の間違い。「こざとへん」と「おおざと」はそもそも紛らわしいから無理もない）。「阝」と「坴」という単位というかパーツの形状に関してそれ自体は反転していないので、これらは正しく記憶され取り出しができているようです。が、それら同士の配置が左右逆になってしまったわけです。結果、「陸」を鏡に映したものとは異なるタイプの「逆さ文字」となりました。

まあ、パーツの形がバグってるケースもありましたが（2‐7）、これもかろうじて分類としては、左側と右側に分割できる単位の左右逆配置の例といえるでしょう。

これら「鏡文字ではない逆さ文字」はひらがなに関してもたくさん見つかりました。2

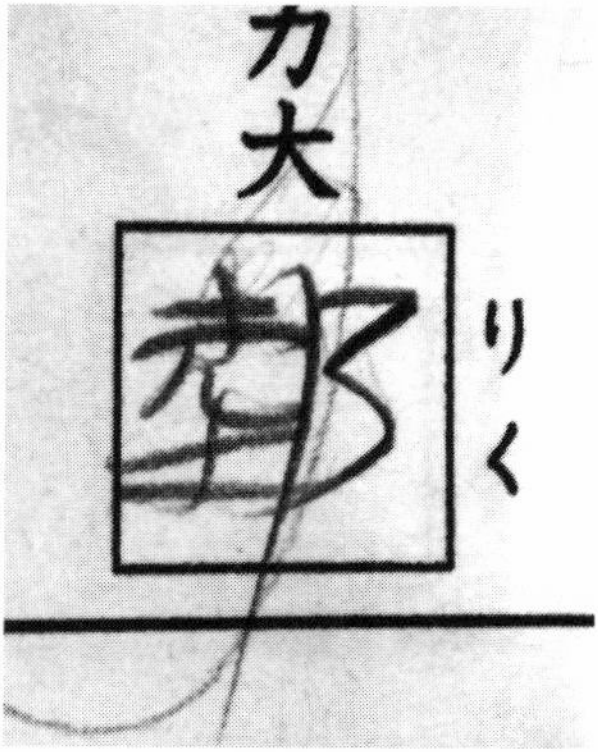

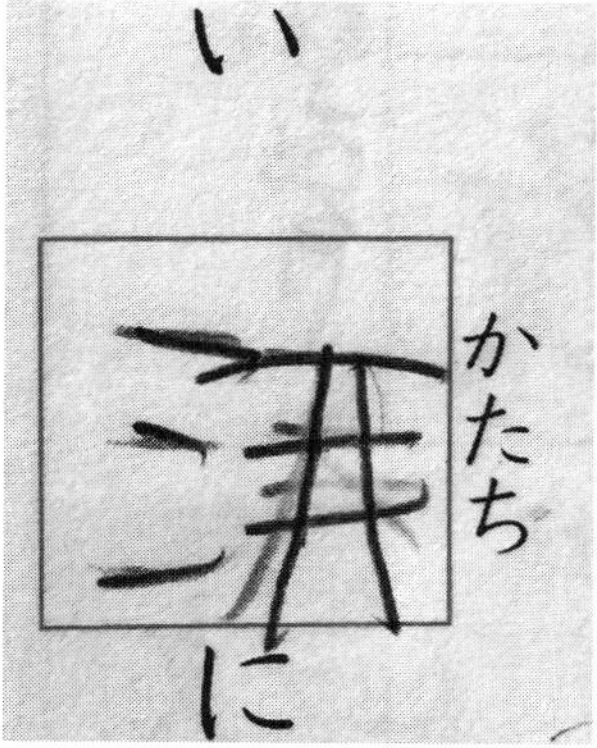

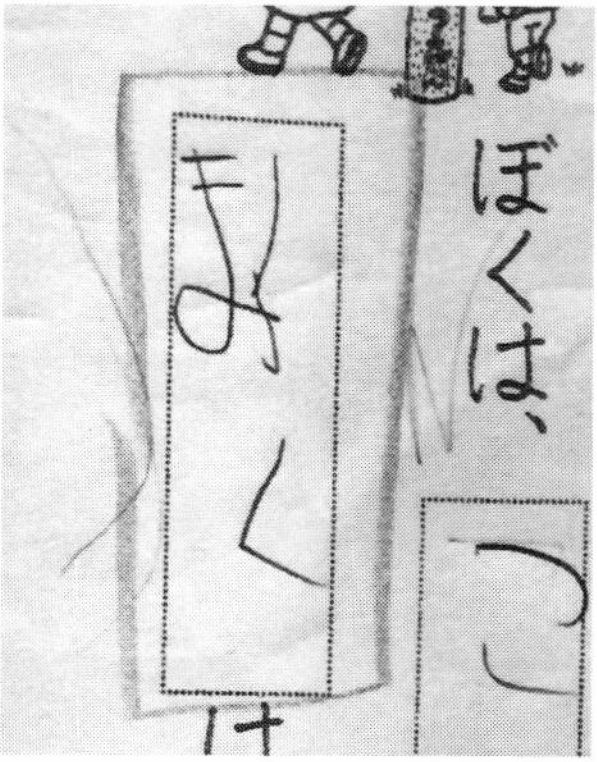

2-6（左上）「陸」を意図
2-7（右上）「形」を意図
2-8（左下）「ぼく」を意図
2-9（右下）「いく」を意図

-8は小一のときのもので、「ぼく」の「ぼ」と書くべきところ。濁点はどこにいっちゃったのかわかりませんが、残された「ほ」については、純粋な鏡文字（全体を左右反転させたもの）ではなく、「ほ」を左右のパーツに分けたあとに、左右逆に配置しています。

これも、文字全体の反転ではなく、またパーツ単位で反転しているわけでもなく、パーツ配置位置のミスに分類されるほうですね（左右に分けられそうな仮名はもともと少ないので、なかなか発見しにくいですが）。2-9の「いく」の「く」（純粋な左右反転）とは、異なるしくみで起こる間違いといえます。

というわけで、漢字であれ仮名であれ「逆さま文字」界においても、ひとつの単位（漢字全体、またはそれを構成するパーツ）そのものの向きが定着していない場合と、パーツは再現できているのにそれら同士（主に左右の）配置位置において間違いが起きるという場合にやはり分けられるようです。

年齢とともに解消する場合もあれば、文字の形を覚えることが生来苦手であるという個性を抱えたまま大人になることもあるかもしれません（それは私！）。

そもそも人間は、文字の視覚的な情報をどのように認識しているのかという研究は長い歴史があり、そのなかでもよく知られたもののひとつがSelfridge（1959）のその名も「伏

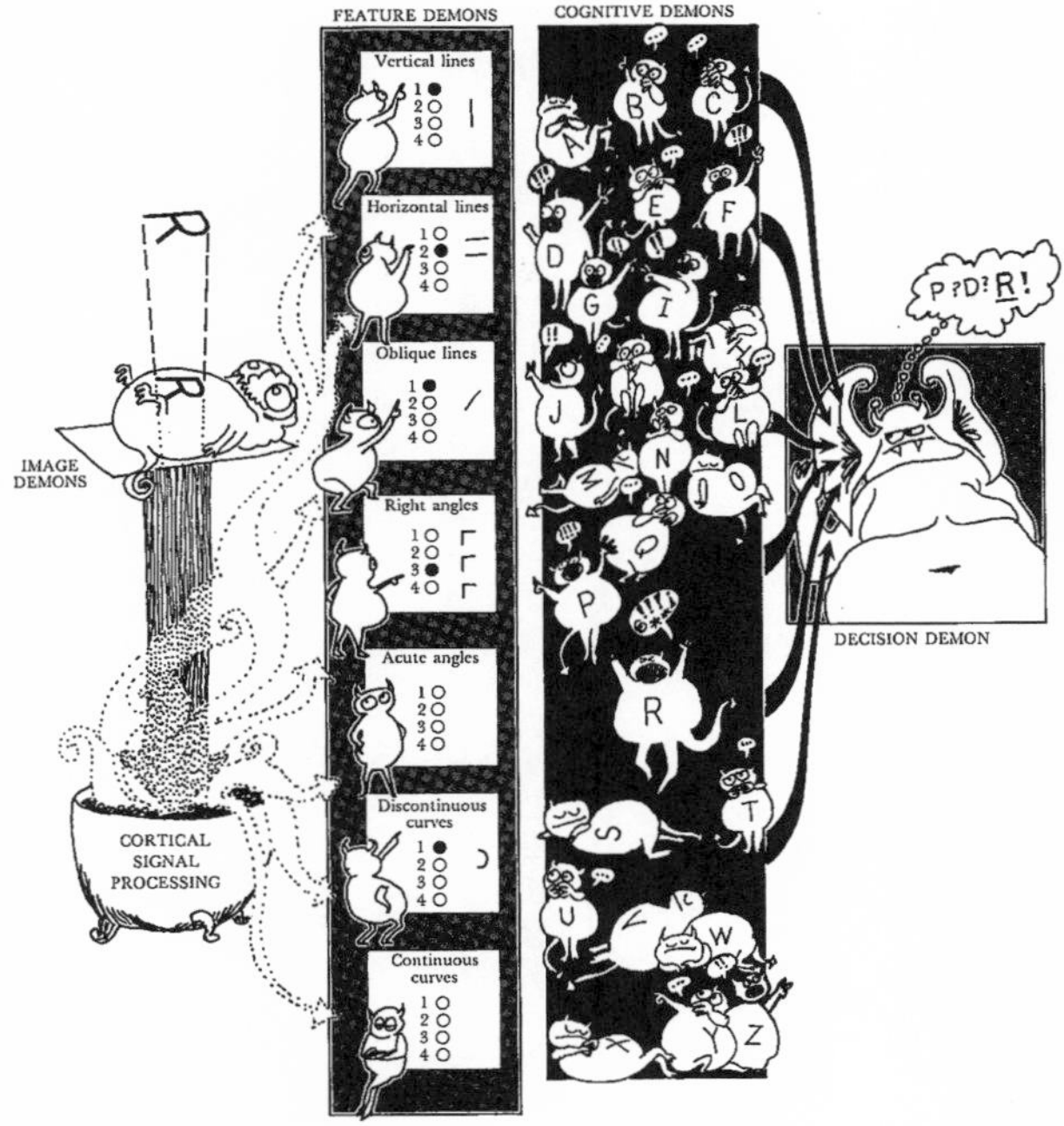

2-10　伏魔殿モデル（Lindsey & Norman（1959）より）

魔殿（pandemonium）モデル」です。

脳にはたくさんのデーモン（demon…というか、たとえとしてはデーモンでなくてもいいと思うんですが）がいて、視覚情報として得られたイメージを受け取って、個別の特徴に分解する者（そういう役割のデーモン）、個別の特徴（縦の線、水平の線、閉じた曲線、開いた曲線、等々）ごとにそれを専門に受け持って、入力の中にそれが存在するか検出する者、そして実在する文字候補それぞれを体現し、「自分の特徴の組み合わせに近いぞ……入力されたのは自分が担当する文字なのでは」と主張する者、そしてそれらの主張のなかで最も有力な候補を選ぶ役割の者、いずれも個々の役割を担ったデーモンにたとえられています。なので脳内のこのしくみ全体が伏魔殿というわけです（この愛らしい有名なイラストの出典は文献案内をごらんください）。

それにしても先にあげたような漢字や仮名の一部のパーツのみ反転した例などをみると、おそらく複数の特徴を組み合わせた、いわゆる「特徴デーモンの小さなグループ」という単位をとりしきるデーモンだっていると考えたほうがよさそうですね。

このような、特徴同士の階層性を視野にいれたモデルも近年ではより力をいれて検討されていますが、漢字やかなのこうした内部パーツの捉えられ方はそれを後押ししていることとでしょう。

†のび太とのび犬問題

ここで「待ってました」的な例を。ある日、この息子（こうたろう）から「宿題を拒否して逃亡する」という趣旨の声明文をワタクシいただきまして（2－11）。「コウイヌロウって何だよ！」と大爆笑してたら、そのあと自らの手元で一生懸命確認していたので（次頁2－12）、ウケをねらってわざと、じゃなくて、素でした。これが初めてじゃないですからわかります。かれこれ小一から間違え続けているんです。以下（六一頁、2－13～2－15）、小一から高学年に至るまでに収集した多数の例のほんの一部です。

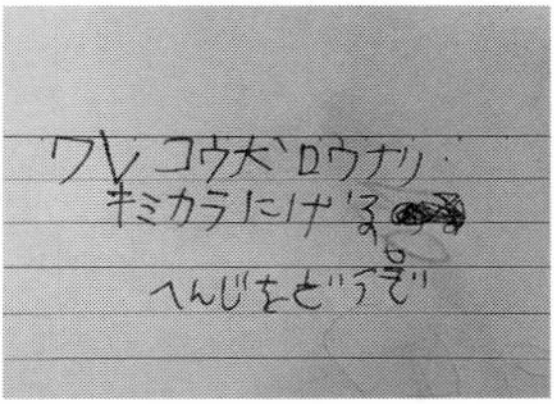

2-11　コウ太ロウのつもりと思われる

この「犬」と「太」の混同は、藤子・F・不二雄『ドラえもん』コミックス八巻「ライター芝居」という、私が小学校の頃から大好きなネタにも出てきます。現実をシナリオに書いたとおりにコントロールできる秘密道具、その名も「シナリオライター」というライター（すでにダジャレ）を使って、

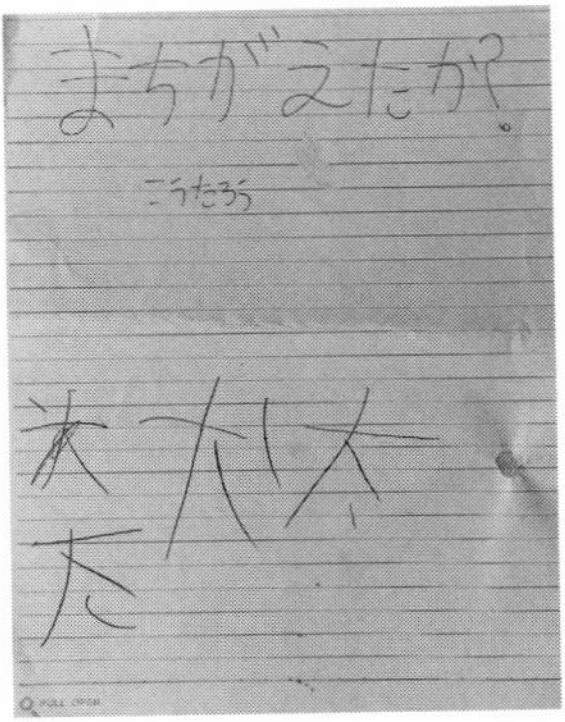

2-12　正解がどうだったか混乱して自ら確認？

しずかちゃんと大接近シーンで締めくくるストーリーを企てるのび太。しかしそのラストシーンでしずかちゃんと手に手を取り合って、去って行くのは近所の犬（この犬は胴体がやたらに長くてジャイアンに「のびイヌ」と呼ばれていじめられていたという伏線つき）。しずちゃんも犬も、一同わけがわからないという表情が爆笑を誘う傑作です。ですがまさかこの間違いを実写版でこんなに何度も目の当たりにできるとは……。

なお先に挙げた例では、「太」と書くべきところを「犬」と書いている例が多数派でしたが、少数ながら存在する逆の例が2－15です。「きょう大」も気になりますが、ここで言及しているのは最初の問題「えさを食う太」です。これまでの例と逆に、「犬」と書くべきところを「太」と書いているパターンです。

「犬」と「太」、この二つを混同し続けるということから考えるに、彼の頭のなかの知識において、これらの漢字は、どのような外見を持つ字であるとして記憶されているのでし

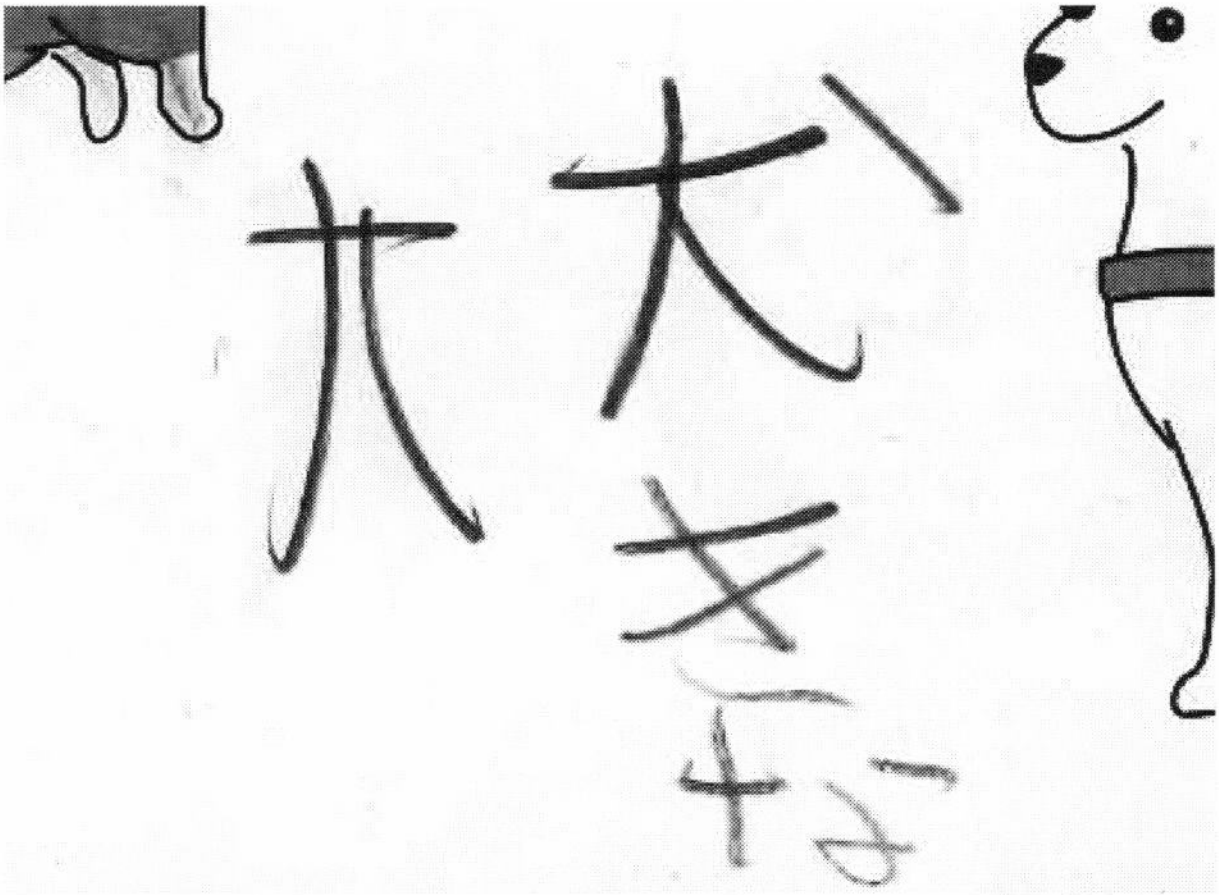

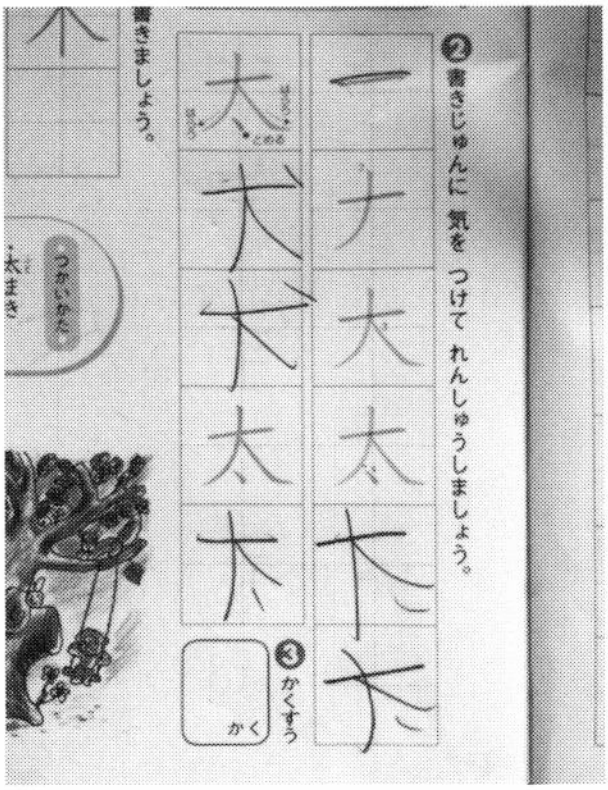

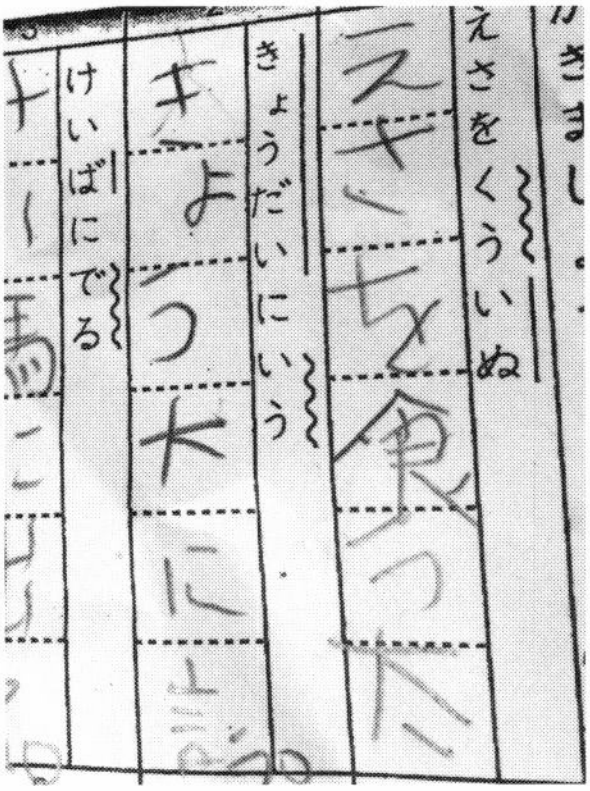

2-13（上） テンのあるなしが交換された結果の「いぬきなおお」
2-14（左下） 同じく「太」が犬化している
2-15（右下） 「えさを食う太」、つまりこちらは「犬」が太化しているょう。やっぱり「大」というパーツと「、」というパーツの組み合わせ、かな？

一文字の漢字が、複数のパーツからなり得ることは、私たち漢字圏の人間にはもはや「当然知っていること」です。小学校の早いうちから「へん」「つくり」とか、「部首」という概念を教わります。だから、「時」が「日」と「寺」というようなパーツに分かれたり、またそれらのパーツは別のものと組み合わせることもできる（「晴」「待」など）というシステムの一部であることも自然に受け入れるようになっています。

こうした、漢字における部首のような、組み合わせを作れる体系の一部として働いている、文字の意味を変えうる最小単位のことを「字素」とか「書記素」といいます。

漢字の場合は、それ以上部首に分割されず漢字まるごと一文字が一字素をなすときもあれば（例：「口」）、複数の部首候補に分けられるものは各部首候補が字素に対応します（例：「時＝日＋寺」の「日へん」と「寺」）。あるいは、部首のさらに一部をなすような、「画以上部首未満」の何らかのまとまりを表すこともあります（これについてはあとで詳しく。なお、「部首」とは、漢字を構成する部首パーツが複数ある場合はその中でもっとも代表的なもの、つまりその漢字を漢字辞典を引くときに参照するものだけをいうのがより正確ですが、ここではどれがその漢字にとって代表となるかにかかわらず、部首となり得るパーツとして認定されているものを一律部首候補としました）。

これに対して、英語などで使われているローマン・アルファベットでは、各文字がそのまま字素になれますが、文字単位をそれ以上小さく分割することはできません。

実は、漢字辞典的には、「太」は「大」という部首と「丶」という部首（「てん」という部首があるんです）からなりますが、「犬」はそれ以上分割されない、「犬」というまるごとの姿が最小単位だということになっています（なので「犬」がそのまま一部首）。「犬」はそれ全体の姿がひとつの象形文字だからなんですね。一方、「太」は、「大」と「丶」（この「丶」部分は、もともとは「二」ともいわれる）のふたつそれぞれの意味の組み合わせで成り立つ指事文字または会意形成文字とされています。

こうした例をみると、同じ「丶」でも、部首のひとつだったりそうでなかったり。何をもって部首とするかという、漢字辞典に載っている決まりごとが、私たちの直感と合致するかは別問題だということが窺えます。

台湾での中国語母語話者を対象にしたChenら（2013）の実験では、漢字二文字からなる単語のうち一文字目だけを提示して二文字目を思い出して書かせる（つまり書くべき漢字は決まっているがその漢字そのものについてのヒントは与えられない）課題において、直前の問題で書いた漢字の部首が共通していて手がかりとなる場合、最初の画だけ共通している場合など、部分的な手がかりのいろいろなパターンのどれが有効に働いているかという実験を行った結果、当該の漢字にとっての部首そのものだけでなく、部首より小さいがかろうじて複数の画でできている単位（例えば、錄・領・劍・創などにとっての「𠆢」の部分。ここに挙げた漢字にとっては、部首を構成する一部にすぎない）としての「字素」が無意識の手がかりとして機能する最小単位だと報告されています。

これは多分に視覚的な印象で捉えられるまとまりであり、それがその漢字において、意味または音韻情報を担いうる部首というステイタスを持つかどうかということは、視覚的な記憶において必ずしも必須ではないということですね。

この中国語の知見がそのまま日本語にも当てはまる保証はないにせよ、漢字学習を始めたばかりの日本の小学生の感覚においては「この形のまとまりは部首といえるか」という知識とは関係ないまとまりでも漢字の見た目の記憶を担いうる気がますますしてきました。

なので直感的には、少なくとも子どもの脳のなかでは（実は私自身もそうだと思います）、「犬」と「太」いずれも、「大」と「、」という別々の部品を持ち、配置だけが異なるものと捉えられているのかもしれません。というかそう考えた方が一貫性ありそうですよね。

そしてその場合「、」の然るべき位置が本来指定されていてその通りに組み合わせる必要があるわけですが、ここではその位置指定において間違いが生じているということか。

†パーツ認定とその構成

さて、間違い百花繚乱の息子の漢字ドリルですが、さらにもっと微妙な「もしかしてこれもパーツ認定!?」という例もてんこ盛り。

例えば、次頁の2－16は「オリジナルの象形文字?」と言いたくなりますが、「雨」の外側部分をパーツと見なせば部分的にはかすっています。あとは「中が、雨降りの様子を絵で表したようなパーツだった」みたいな記憶の仕方をしていたということでしょうか。

本当は、「雨」はそれ全体がひとつの部首となる象形文字で、外側と、内部の水滴部分に分かれるわけではありませんが、初めて接した子どもにとって（このとき小二）、何が直感的に最小単位のパーツ（その子にとっての字素）であるかは、それぞれの感じ方、推測があってもおかしくないでしょう。「降ってくる水」を描写している部分だけ取り出してオリジナルの字素を定めて覚えていたのでしょうか（形は間違ってるけど）。

それから、一つの文字が複数の字素（パーツ）で構成されうるということは、前述した

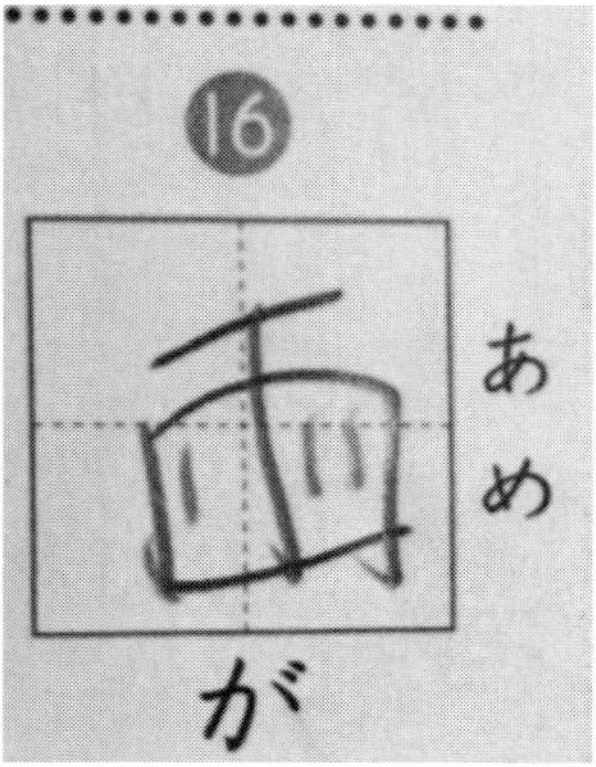

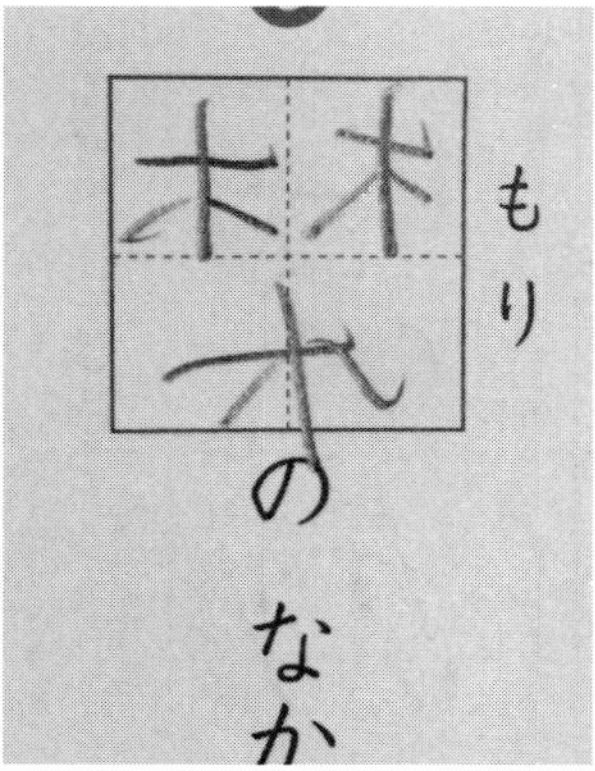

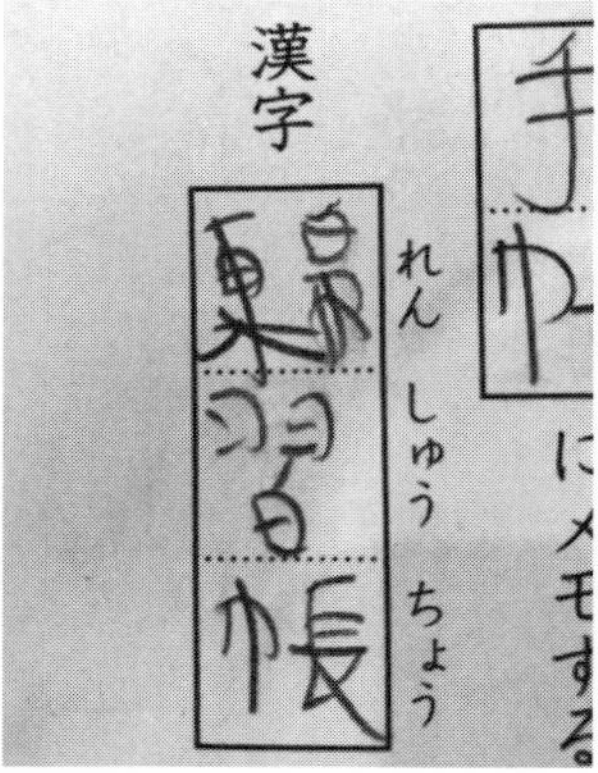

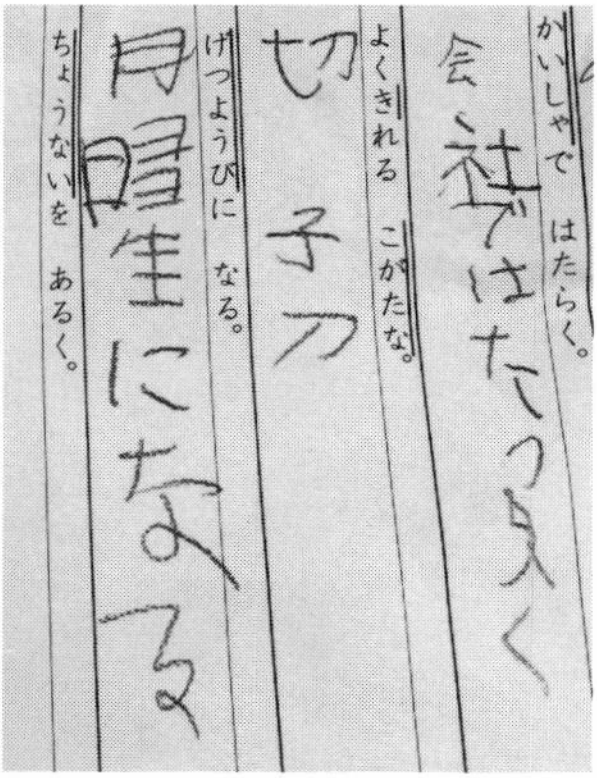

2-16（左上）「雨」のつもり
2-17（右上）「森」の配置が上下逆。同じ例がこの他にも採取されています
2-18（左下）「練」を意図。右に来るべき部分が左に配置されているが、じゃあその右にあるのは何なんだ
2-19（右下）「曜」を意図（「子刀」はここではおいておこう）

ようにパーツごとの形を記憶するだけでなく、パーツ同士を正しく操作するという作業だって頭の中で必要となります。そうなるとさらなる間違いパターンの余地も出てきます。2-17（「森」を意図）は、パーツだけなら間違いなくあっているんですよね。明らかに構成だけが間違っている例です。単に上下逆さまにしちゃう、というなら、「森」のようになってもいいはずですが、そうではない点が重要です。「木」という字素（部首）自体は、上下の向きも含めて正しく取り出せていて、（本来の）「森」という字の形状を構成する単位として役割を果たしているといえるでしょう。いかんせん配置だけがおかしいのです。

これはつまり、人間の漢字の知識においては、パーツ（字素）の記憶と、組み合わせの際の配置操作を別々に考えた方がよい説明になるのでは？という例です。子どもたちも、まんま覚えるだけでなく、頭のなかでそれらの構成操作も分析的に行っているからこそこういう間違いが生じてくるのだといえるのではないでしょうか（ポジティブ！）。

そう考えると、2-18の例では、「練」が意図されつつも書けていませんが、へんにあたる左側の「東」と同じ形の部分は、本来右半分にくる「つくり」が左半分に位置したものだということを除けば部分的にはかろうじて思い出せている様子。この部分がひとまとまりに記憶されている、つまり彼の中でひとつの「字素」として記憶されていることは間違いないでしょう。単体で「東」という字が実在することもその記憶を助けていると思われます。

一方、2-19の例では部首（候補）としては実在しないけど彼にとっては字素として存在するのかも、と思われるのが「曜」の「ヨ」の形をした部分で、部首としては漢字辞典をみても実在していないものです。しかし彼のなかではこれは、漢字全体を分解し、字素として取り出した結果のように見受けられます。

しかし如何せん、「ヨ」、縦に積んだらアカンのだ。しかしこうした例も、「字素の推定」「字素の構成」という作業が頭の中で（たとえ不正確または不完全だったとしても）行われていることの裏付けと言えるのではないでしょうか。

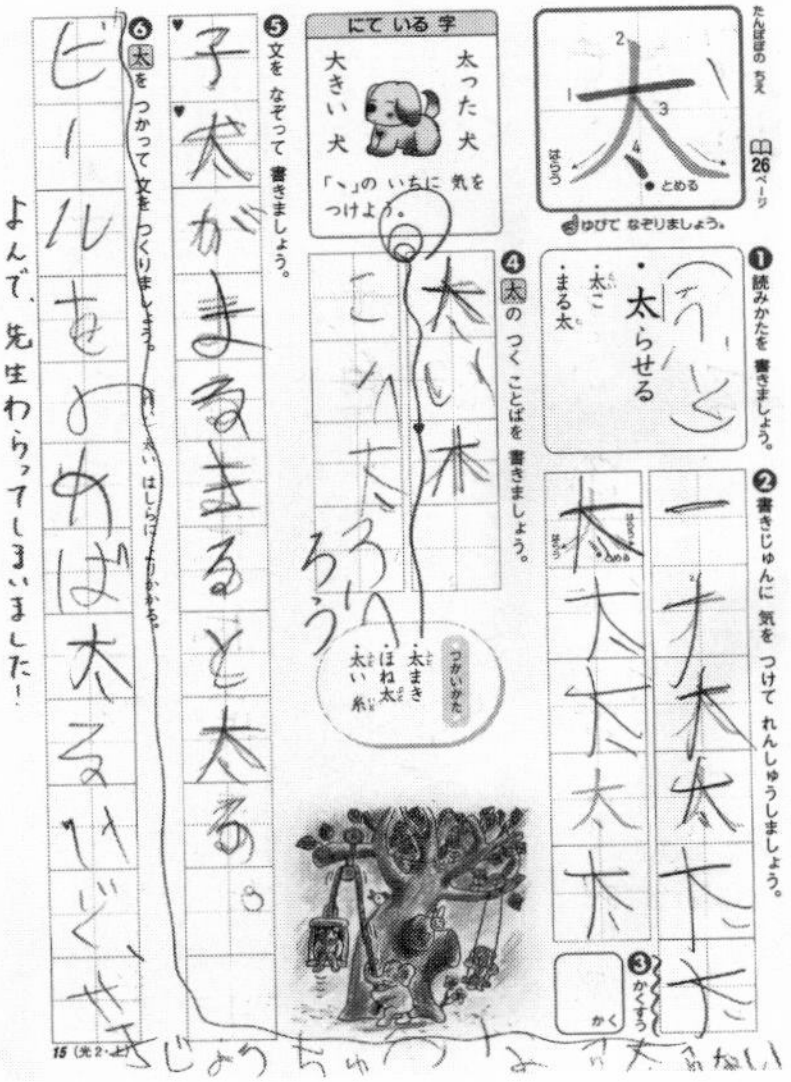

2-20　ビールをのめば太るけど芋じょうちゅうなら太らない（息子じゃなくてオカンが恥かいてる例）

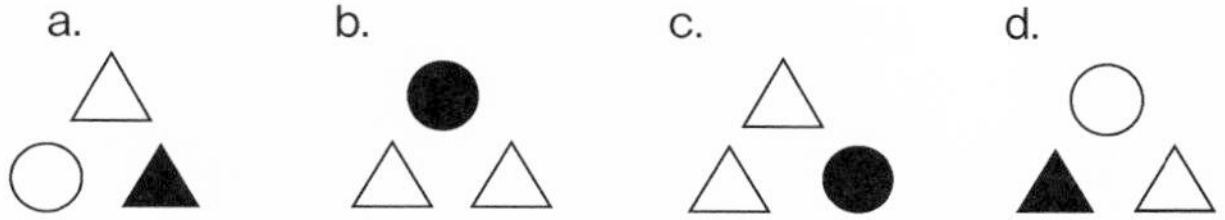

2-21　田中（2002）より

そうそう、息子にこれ以上恥をかかせないため言っておきますが、「犬」と「太」、正しく書けたときもあるんですよ（2-20の最後）。

さらには、文字以外においても、こうした「パーツそのもの」と、「パーツの構成の仕方」が、異なる知識であること、そしてともすれば発達の順序も異なることを示唆する調査結果があります。

前述の田中（2002）によると、aのような図形を見せて、残りの図形の中からそれと「一番似ているのはどれ？」という質問を子どもにすると、三〜四歳ではb、c、dの選ばれる割合はそう違わないそうです（2-21）。しかし四〜五歳児ではcが特に選ばれる傾向が高くなり、その傾向は五〜六歳児でさらに強まるとのこと。個別のパーツひとつひとつを別々に評価するというより、図形全体のパターンの類似（右下に黒、あとは白）が重要視されることがわかります。

ところが八〜九歳になるとaと一番似ているものとしてはdが選ばれる傾向が顕著になるそうです。要素相互間の関係を判断し、「配置は同じで、回転させただけ」であるものが優先されるということでしょうか。

また、「回転させただけで、もとの図形に等しい」と判断するためには頭の中で思い浮かべた状態の画像イメージを回転させる（メンタル・ローテーション）能力が必要となりますが、その能力が年齢とともに発達することも関係しているでしょう。

メンタル・ローテーション能力発達に伴い、傾いた文字や図形の形から、それらの傾きのない形との対応が想像できるようになります。同じく田中（2002）に紹介されている一九八五年のご自身の調査によると、ある形と最も似ているのはどれかと尋ねられた際、その図形の左右対称の鏡像、そして様々な角度に回転させた図形のなかから、五歳児では鏡像を選ぶ割合が圧倒的に多かったのに対し、六歳以降はもとの図形が四五度傾いた（そして鏡像ではない）図形を選ぶ割合が急速に増えていくのだそうです。

こうしたことを踏まえて改めてこれまでの珍漢字例をみると、複数のパーツの構成が全体をなすという意味で共通する漢字の知識においても、全体をまるごとビジュアルとして判別する知識、個別のパーツに関する知識、それらパーツの配置に関する知識が役割分担しながら関わっていると考えることができそうです。

それにしても……次の漢字まで越境しないでください（2－22）！

†文字同士の配列――ターヤジスとケブンッリジだがいく

さてここで、冒頭のＩＭＵＡのＴシャツの話に戻りましょう。鏡に映った状態なのでＡＵＭＩと読めたという話です。

息子が鏡のなかの文字列を見て何の疑問もなくＡＵＭＩって読むんだと思った理由としては、偶然四つの文字すべてが左右対称だったことに加え、そもそももとのＩＭＵＡという名称を知らなかったということがあります。

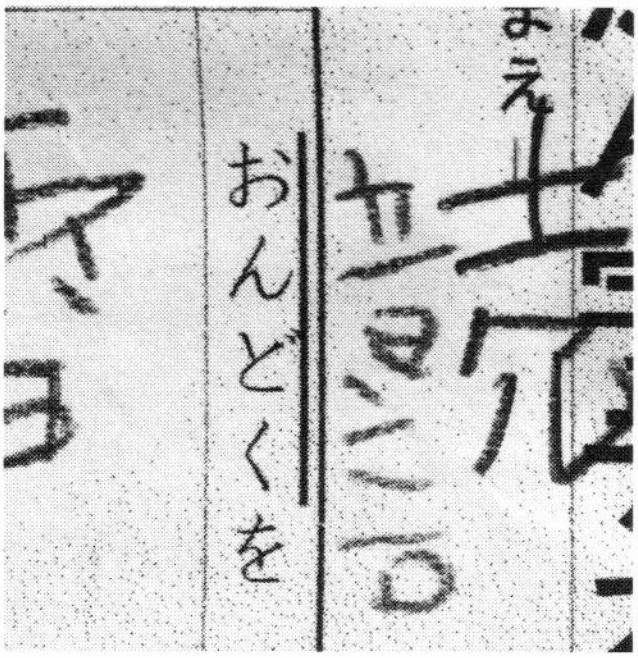

2-22　分解して構成するときに隣の漢字と混ぜちゃった

それでは、知っている語についてはどうでしょう。アルファベットを用いた表記はもちろん、また日本語でも、昭和初期までとは違って現代の横書き表記ではほぼ間違いなく左から右に読みますよね（縦書きが上から下なのは言うまでもないとして）。そこで、ひとつひとつの文字自体の向きは正しくても、文字列の順番が逆だったり部分的に入れ替わっていたりした場合、私たちはどのように反応するものなのでしょうか。

ここでふと思い出したのが、コーヒーフレッシュ(クリーム)のメジャーどころ「スジャータ」です。これを運ぶトラックの車体に「ターャジス」って書かれてるのをみて「なんて読むねん!」って思ったことありませんか? そう、なぜか「スジャータ」が右から左の横書き(令和の今ではどうやらおおかたの車体が左から右の普通の「スジャータ」表記になっているようですので「ターャジス」トラックはもう絶滅してしまっているのでしょうか)。

一つ一つの文字単位では鏡像文字になってはいないことからわかるように、別の車のバックミラーに映って見えたときのことを考えてというわけではなく、対向車にとって、すれ違うときに文字が目に入る順番を意識してのことだそうです。

自分も子どもの頃、逆さに書かれている理由はきっとそうなんだろうなと思い、一体どれくらいの速度ですれ違えば「ターャジス」が「スジャータ」にちゃんと読めるのか、そんな奇跡のコマ送り状態を体験できる機会が訪れるのか、このトラックを見かけるたびに首を振りながらがんがんに凝視したものですが、結論としてこれが「スジャータ」に読めるスピードに出会えたことは一度もありませんでした。

そして子どもながらに、人間が視覚的に文字列を読むときに、律儀に一文字ずつ順番に処理しているという前提がもしかして間違っているのでは、ということに思い至ったのでした。

そういえば大型フェリーを含めた船名もそうですが（船首から船尾という方向をキープするため？）、やはり右から順を追って視覚的に入ってきてくれるような、つまり逆書きされていたおかげで読みやすかったという状況はどんな有事を想定しても難しいです。

そういえばすでに一〇年以上前からネット上で出回っているこんな文章を見たことがありませんか（出典は……もはやわかりません）。

このぶんしょうは　イリギス　の　ケブンッリジ　だがいくの　けゅきんうの　けっか、にんんげ　は　もじを　にしんき　する　ときその　さしいょ　と　さいご　の　もさじえ　あいてっれば　じばんゅん　は　めくちちゃゃ　でも　ちんゃと　よめる　という　けゅきんう　にもづいとて　わざと　もじの　じんばゅん　を　いかれえて　あまります。

このような研究が実際にケブンッリジ、もといケンブリッジ大学で行われているという事実は確認されていないようですが、だからといって「人間は文字を認識するときその最初と最後の文字さえあっていれば順番はめちゃくちゃでもちゃんと読める」と言われたら、この例をみるかぎり納得せざるを得ません。

もっとも、「イギリス」だの「ケンブリッジ」をはじめ、ここで使われている（らしい）語そのものは比較的馴染みのある固有名詞であることに加え、例えば「だがいく」単体では相当違和感があっても、「ケブンッリジ　だがいく」と来られると、受け取る側でも相当「一を聞いて十を知る」「みなまで言わんでエエ」じゃないですが、現実世界の知識を補って、さらにそれを実際の入力に優先させて理解してしまっているようですね。

こうした現象はタイポグリセミアと呼ばれて、一時期ネット上で流行しました。タイプミスという意味の「タイポ typo」と、低血糖症という意味の「ハイパーグリセミア hyperglycemia」の混成語だそうです。心理学的な手続きに基づいた実証的データに基づかなくても、「自分自身が現にひっかかった」自覚は説得力としては最強ですよね。

もちろんこうした「流行ネタ」に加えて、実際に単語の内部の文字の順番を部分的に入れ替えたものが、部分的に別の文字にすり替えたものよりスムーズに認識されるという実験結果の裏付けもあります。それら一連の研究を解説した Grainger & Whitney (2004) はこんなタイトル。Does the huamn mnid raed wrods as a wlohe? ←私は初見では気づかず、まんまとDoes the human mind read words as a whole? と読んでしまいました。

こうしたことから、単語の視覚的な記憶も、一文字ずつの絶対的な位置情報という形ではなく、ある程度のまとまりをもったかたまりとして登録されていることが実感できます。

こうしたことを踏まえてスジャータの話に戻ると、少なくとも「ターャジス」と車体に書くことを決めた人がかつて期待したらしいように、語頭から一文字ずつ順番に処理しているわけじゃないんだな人間って、ということもあらためて納得できます。

人間の情報処理には、実際に得られたデータを帰納的に積み上げていくボトムアップ的な側面と、より高次な階層から得られるヒントから先に結論を予測してからデータと適宜照らし合わせる演繹的なトップダウン的側面があります。

走るトラックに書かれた「ターャジス」を見て「ス」「ジ」「ャ」「ー」「タ」と読めそうにないのは、そこまで極端なボトムアップ処理を想定するのは無理があるからなのか、私の動体視力の問題なのか怪しいところであるとはいえ、人間が文を読んでいる際の視線を計測してわかることのひとつとして、我々の眼は一文字ずつ律儀に注視するわけではなく、ある程度の区間ごとに視線の停留、次の地点（文字システムによって異なるが、少なくとも数文字以上先で、単語を超えることも）まで瞬間移動、また停留、瞬間移動、を繰り返して

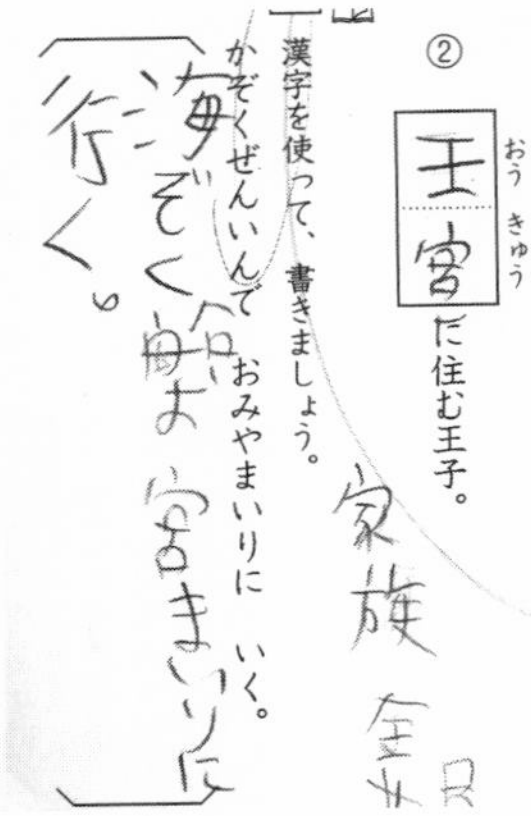

漢字を使って、書きましょう。
かぞくぜんいんでおみやまいりにいく。

2-23 「かぞくぜんいん」が「かいぞくせん」に

いるという事実があります。なのでやはり「逆さスジャータ」は普通の人間には難しいと思われます。

そして、タイポグリセミアが実際に観察されるということは私たちが思う以上に、私たちの読みの過程においてこのトップダウン的側面が強力なことを意味しているのでしょう。しかしこの現象、六文字以上の長い語ではまず起こらないとされてますが……。無理矢理なんちゃってタイポグリセミア的な読みをしている小学生……（2-23）。

第三章

英語にあって日本語にないもの?

——目的語と関係節、そして主語?

†修飾戦線異状あり？

はじまりは、こんな国語（小三）のテスト解答（3―1）。

姉は、すっぱい　みかんを　食べた。

線を引いた部分の言葉の意味をくわしくしている修飾語をえらんでマルでかこみましょう、という問題です。

あ～案の定間違ってるじゃん！　正しい答えは……ってアレ？　大人にもわからない……！　これはあながち「珍解答」ともいえない、息子の答案。

「自分には②の答えがわかりません」ってSNSでつぶやいてみたら、多くの反応はあらかたこうでした。

「波線の引き間違え、つまり出題ミスでしょう」

「「みかん」に線が引かれてるべきだったのでは」

「で、「みかん」の修飾語が「すっぱい」だから、だったらあってるじゃん」
……大の大人がよってたかってそう結論づけようとしていたのですが、プリントの解答を確認してビックリ。「食べた」の修飾語は「みかんを」で正しいそうです。
以下、小学校三年生の国語教科書より。

わたしは［おじいちゃんに］［手紙を］書きました。
［　］の、「何を」「誰に」に当たる言葉を、修飾語といいます。

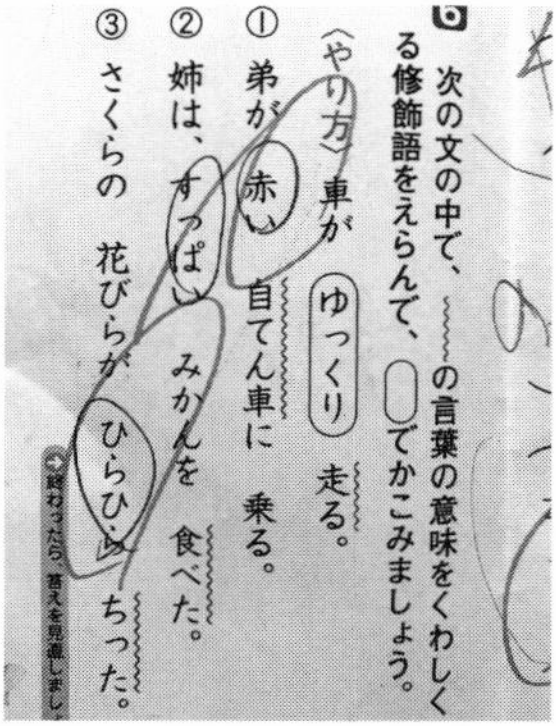

3-1　珍解答ではない？

そう、「みかんを」や「おじいちゃんに」「手紙を」はぜんぶ修飾語というのだそうです。ここで改めて知りましたが、学校文法では小三で、単文の要素としては最初に「主語」「述語」が導入され、それ以外は、副詞、目的語ぜんぶまとめて「修飾語」と扱うことになっているのでした。

小学校の頃、自分もきっと国語でそう習っていたはずなのでしょうが、忘れていたのかわかってなかったのか聞いてなかったのか、とにかく記憶にありません。

†目的語ってないの?

国語の先生、あるいは国語教育で扱う学校文法に携わっておられる方には常識だったのかもしれませんが、(それらとは異なるアプローチの)言語学やってる自分を含めた同僚や仲間たちには、すごく意外なことでした。

述語の表す内容(動きや作用)の及ぶ対象としての「目的語」と、対象表現(ここでは述語)についての情報を追加したり、限定したりする「修飾語」は別々に扱うのが当たり前だと思い込んでいたので……。

私に限らず、大人のみなさんの反応がおおかた「ミスプリでしょ」「出題ミスでしょ」だったわけですし、ある超難関中高一貫校の国語の先生まで同じ反応だったのには少しウケました。

でも考えてみれば、小学三年生には、文を成分に分けるという発想からしてもうじゅうぶん難しいのかもしれません。「主語」と「述語」という概念を分かってもらうだけでもきっとすごいことであるはず。

なにしろ、文という単位が表現する意味内容とはあくまで別個に、その形式・構造を分析的に考えるという、いわば抽象的な作業はきっと初めてのことでしょうから。だから、「主語」と「述語」以外はまとめてひとつの分類にしておいたほうがいいのかもしれませんね。だけど、小学校にとどまらず、中学校の国語で学習する内容の「文の成分」でも、「おじいちゃんに」「手紙を」は依然一貫して「修飾語」と分類されています。

学校文法として採用されている国文法の枠組みでは、それよりも「連用修飾語（副詞的な働き）」「連体修飾語（形容詞的な働き）」の区別に重きをおくようです。連用修飾語のなかでの修飾語と目的語の区別はそれよりは重視されていないのか、高校の現代文の授業でも大学受験でもどうやら最後まで、国語の時間に「目的語」は登場しないようです。

言葉の決まりという文法体系をどのように捉えるか、というアプローチの多様性に、私たちはこんなに昔から気づく機会が与えられていた、ということを思い起こさせてくれる事例として面白いのは、中学高校で英語の文法が導入されたときです。

英語の文型は「主語」「動詞」「目的語」「補語」などの用語を用いて説明します。そう、「目的語」（eat an orange あるいは help my aunt の an orange または my aunt）という概念は、英語の時間に初めて導入されるのです。

するとと、「英語には、日本語にはない「目的語」ってシロモノがあるらしいぞ」みたいなことになるんですかね。目的語は舶来品だったんでしょうか。英語で「目的語」っていってるソレは日本語でも「目的語」じゃないのでしょうか。

ためしに冒頭の「姉はすっぱいみかんを食べた」という文、より説明しやすくするために、「すっぱい」をとって、そのかわり「昨日」をいれてみました。国語の教科書的には「昨日」も「みかんを」も、「食べた」の修飾語、ということになります。比較のために、英語の例もおいてみましょう（まあ、みかんは an orange ってことにしておきましょう）。

姉は 昨日 みかんを 食べた。

My sister ate an orange yesterday.

英語にしてみると、目的語（eat の対象物である an orange）と修飾語（ここではその行為がいつのことかという情報を付け加える副詞 yesterday）の違いは習った覚えがあるでしょうし、それから改めて日本語をみれば、情報が対応していることが確認できますよね。

「修飾語」と「目的語」を分けるという枠組みを日本語に当てはめれば、「目的語」という分類自体が日本語に存在し得ないわけではないことがわかるのですが、いちおう確認してみましょう。

英語だと、「オレンジを食べたかどうか」の答えとして使うのに、以下の文のように他動詞で目的語を抜かしたら、明らかに間違いです。たとえ、話の流れ的に、ここではオレンジを食べたかどうかが話題になっていることがわかっていたとしても、です。

×（いえない?） My sister ate yesterday.

まあでも eat は「食事する」っていう自動詞的な解釈も可能であるためこの文はちょっと微妙な例かもしれません。なので別の例（「私は昨日叔母を手伝いました」）をみてみましょう。

◯（いえる） I helped my aunt yesterday.
×（いえない） I helped yesterday.（目的語を抜かしてみた）

○（いえる） I helped my aunt.（副詞を抜かしてみた）

仮に、話の流れ的に叔母さんのことを話しているのだと了解されていたとしても、目的語を抜かすと英語としておかしいことがわかります。一方、ここで副詞はなくても文法上は問題ありません。

このように、他動詞にとって義務的な情報である目的語と、オプショナルな情報である修飾語（副詞）の違いは英語ではわりと簡単に実感することができます。

†日本語のほうが自由だ？

しかし、日本語では、何の話をしているかわかっている限りは（そうでないときもおうおうにしてあるけど）、修飾語はもちろん、主語も目的語もかなり自由に省略できちゃうという性質をもっています。

なんなら述語だけでも文が成り立ってしまうわけです（そう、「手伝った」だけでも）。

○（いえる） 叔母を手伝ったよ。（主語を省略してみた）

○（いえる）　昨日手伝ったよ。（主語と目的語を省略してみた）
○（いえる）　手伝ったよ。（主語も副詞も目的語も省略してみた）

さすがに、藪から棒に「手伝ったよ」って言われても「は？　だれが？　だれを？　何のこと？」ってなりますので、ここでも前提としては昨日叔母さんを手伝ったかどうかがすでに話題になっていると想像してみてください。

こうしてみると、日本語ではそもそも、「目的語と修飾語（副詞）は違うよね」って実感を持ちにくいのかもしれません。「目的語」は外国語学習で出てくる輸入語、って位置づけも、そう考えるとそれなりにうなずける気もします。

何なら日本語の「主語」も、思ったほど当たり前のものではないかもしれません。国語の教科書では「「だれが（は）」「何が（は）」にあたる言葉を主語といいます」と導入されているのですが、以下のような場合はどうなるのでしょう。

ごみは、ぼくが捨てておいたよ。（主語は「ごみは」ちゃうやろ！）
あなたが好きよ、とっても。（「あなたが」は主語じゃないよね）

ぼくも君が好きだよ。（「君が」は主語じゃないよね。「も」がつく方が主語だね）

ってていうかぼく、君も元カノも好きなんだよ。（こんどは「も」がつくけど主語じゃない。ってかこの男は許せないね。↑「この男は」も主語じゃない）

ぼく、君も元カノも好きだけど今の彼女は好きじゃなくなっちゃった。（今の彼女も別におったんか〜い！　この「今の彼女」も「は」がつくけど主語じゃない）

まったくこの男は性格がいいかげんだ。（主語は「性格が」？「この男は」？）

一〇ヵ国語が話せるからっていい気になるなよ。（「話せる」の主語は「一〇ヵ国語が」

……んなわけない！　じゃあ何が主語？）

私に一〇ヵ国語が話せるのはこの教材のおかげです。（こっちはちゃんと「私」っていう主語がある……って、えっ、「に」がついてるのに主語なの？）

こんなふうに、本当は「〇〇が」と「〇〇は」は、それぞれ様々な理由で主語にならない場合もあり得ます。

†子どもがわかるように

本書ではこの「主語でなきゃ一体何なの？」問題について、次の節で詳しくみていく予定ですが、小学校の国語の授業ではあまり取り上げられないと思います。そんなの小学三年生にとってはややこしすぎて、全員国語が嫌いになってしまっても困るという配慮もあるのかもしれません（「国語が嫌い」って「国語が」が主語なんか？と気になりだすともう止まらない……）。

改めて子どもの教科書や教材を見てみると、ここであげたような微妙な例、つまり、最初の説明（「「だれが（は）」「何が（は）」にあたる言葉を主語といいます」）に当てはまらないような例は、「主語は何ですか」という問題からは注意深く抹殺、もとい、回避されていることが見て取れます。教材を作る先生方、本当に細かい配慮をしておられるのですね。

しかしながら、教わっていなくても、それどころか教える側がもはや説明を諦めているかのようにまで見えてしまうようなこうしたケースさえ、実世界の小学三年生はそれが難しいとおそらく感じることもなく現に使いこなしているのは驚きです。

「これは主語」「修飾語」ってきかれて答えられなくても、現実の生活の場ではそれらをごっちゃにすることはなく、正確に意図を適切な表現にのせて発信し、理解していますす（まあだいたいは）。

そうした言葉の知識をどうやって整理分類すればいいのか、微妙な例も包括した形で一般化（説明）するのに苦労してるのは大人のほうなんですね。国語教育分野であれ、理論言語学であれ。

ただ、理論言語学者にとっては、どんな説明になろうとも、「小学生が国語の時間に教わって一発でわかってくれるか」って心配まではしなくていいのでしょうが（本当はしたほうがいいんだろうけど）、国語教育分野では「十分正確に」「だけど子どもがわかるように」「教師が時間内に説明しきれるように」っていう制約があるから大変そうですね。細かい違いや例外や、「一括りにできるか微妙」って件にまでいちいちスポットをあててはいられないでしょう。

ただ、「子どもがわかるように」「教師が時間内に説明しきれるように」最大限シンプルにまとめられた説明からはみ出す部分があるのが言語の本当の姿。知らなくても使えている、そんな言葉の決まりについて考えることが、知識と現実との接点をみつける機会になるはず。

それだから、説明通りでないところにツッコミを入れる子どもがいたらいつでも受けてたつ準備をするためにも、大人のほうも心のアンテナの感度を上げて先回りしたいものだ

3-2 「ニンジンはヤギ・ヒツジも食べてくれるよ♪」……ちがう、そうじゃない

といつも考えてはいるのですが、現実には裏をかかれてばかりです。

†人食いニンジンの恐怖

「ニンジンはヤギ・ヒツジも食べてくれるよ♪」

動物ふれあいコーナーにあった貼り紙です。

先に示した「「だれが（は）」「何が（は）」にあたる言葉を主語といいます」という説明がここでもそのままあてはまるのなら、子どもたちは人食いニンジンの恐怖でパニックに陥ることでしょう。

しかし、この表示はウサギさんの餌のニンジンを売っている付近に張られている、そして同じ場にヤギさん、ヒツジさんもいるという状況下でのものですから、冷静な大人なら本当の意味が、そして少なくともニンジンはこの文の主語じゃないことが、わかるはずです。

子どもたちにちゃんと説明して安心させてあげるためにまずは頭を整理。この文、何が主語ですか？　ニンジンじゃないんだよ、というところが重要ですが、じゃあ何？と考えると一瞬迷います。

常識的には、「ヤギ・ヒツジがニンジンを食べてくれるよ」ってことに違いないですよね。このように主語を表す「が」、目的語を表す「を」がちゃんとついていれば混乱することはありません（学校文法だと「目的語」とはいわないという話をしたばかりですが、「修飾語」でまとめてしまうとこのあとの話はかえってわかりにくくなるので、この先は「目的語」という概念を導入します）。

†あなたはウナギなんですか

じゃあこの、いかにも主語の来そうな紛らわしい位置に置かれている「ニンジンは」って、文のどんな役割をしているのでしょう。

「が」または「は」がつくとなんとなく、「誰が何をした」の「誰が」にあたる、まあ主語的なものだと思っておけばいい、と私たちはふわっと考えているかもしれません。そんな我々に、何十年も前から「ぼ〜っと生きてはいませんか」と喝をくれていた国語学者たちがいました。

ボクはウナギだ（ウナギが自己紹介?）
こんにゃくは太らない（こんにゃくが太ったり痩せたりする?）

これらの文は、それぞれ国語学・言語学の業界では大真面目に「ウナギ文」「こんにゃく文」と象徴的な名称で呼ばれ、同じく有名な「象は鼻が長い」とともに「は」の役割を考えるための聖なる存在となっています。

「ウナギ文」のほうは、料理店で注文をとっている状況を想像していただければ「ボクが注文しようとしているものはウナギだ」という意味だとしっくりきますが、どうしてそれが「ボクはウナギだ」で表現できるのでしょうか。「アイドルは太らない」と「夏場は太らない」と「こんにゃくは太らない」における「〜は太らない」の意味が違うのはどういうことなのでしょうか？

「が」「を」などのいわゆる「格助詞」は、それがつく名詞が、同じ文の中の述語部分に対して主語の役割をするのか目的語の役割をするのかという文法的なステイタスをはっきりさせてくれますよね。

一方「は」は、主語か目的語かということは実は示してくれません。それとは別次元の情報を表す機能を持ちます。それは「主題」。

「主題」とは、その文によって述べられる中心の対象で、話し手（書き手）と聞き手（読み手）がすでに共有している情報を示します……というと何のことだかかえって混乱しそうですが、ここでは文の内容が何についてのものであるかを表しています。「〜についていえば」という主題の情報を「取り立て」てくれるということです（なので、「副助詞」のなかの「取り立て詞」とよばれるもののひとつです）。

取り立ててくれるのはけっこうなのですが、ここでついてくる「は」は、主語か目的語かという文法的ステイタスを示す「が」や「を」を駆逐してしまうので（両方つけられればいいのですが、「～には」「～では」とは言えても「～がは」「～をは」とは言えないのですよね）、そこは聞き手（読み手）が判断を強いられるわけです。「ボクの注文についていえば、ウナギを所望します」「こんにゃくという食材に関していうと、それを我々が食べても太らないんです」というように。

「ニンジンはヤギ・ヒツジも食べてくれるよ♪」に戻ると、本来「ニンジン」は「食べる」の目的語なのですが、もともと「を」がついていたと考えるべきか「が」がついていたと考えるべきかを示す情報は文中にはないので読み手の常識が試されるわけです。で、常識から自由な子どもたちにとっては「恐怖のニンジン」のイメージがより強力にすり込まれるかもしれません。

これせめて、「ニンジンはヤギ・ヒツジが食べてくれるよ♪」だったら「が」がついているのが主語の可能性高し、ということで紛らわしくないのですが、「ニンジンはヤギ・ヒツジも食べてくれるよ♪」というこの貼り紙の目的は「ウサギのエサとしてニンジンが売られているけど、ウサギだけじゃなくてヤギやヒツジにあげてもいいんだよ」というメッセージを伝えることなので、「ヤギ・ヒツジ」には別の取り立て詞の「も」（この取り立ては、他のことと同様に、という意味を添える、並立・付加の機能を持つ）がくっついて、主語を示す「が」をやはり駆逐してしまってます。

結果この文は主語にも目的語にも取り立て詞が取り付いて、表面的には主語目的語の文法関係を示す情報が存在しない状態になっているというわけです。そもそも「取り立て」は相手に効果的に情報を伝える機能であるはずなんですが裏目に出ることもあるのですね。取り立てすぎるとこうなるという極端な例にこんなのはどうでしょう。


ヤギ・ヒツジはニンジンは食べたけどトマトは食べなかった

ここでは最初の「は」は主題、あとの二つは「対比」を表す取り立てとなります。……全部取り立ての「は」しかついてないって、もはや「取り立て」の意味あるのか？　でも、何がすごいって、こういう文、私たちはけっこう普段から言うよね、ってことです。

どれが主語かわからないとか、何なら主語がないかもしれないというのは、日本語だと意外に普通ですが、例えば英語のような言語ではありえないでしょう。英語の時間に「仮主語のit」とか習いましたが、「何が何でも主語のあるべき場所には仮でもいいからとにかく主語に存在してもらう！」という強い方針が感じられます。

こうした違いは「主語優勢言語」（英語など）と「主題優勢言語」（日本語など）として類型的に区別できるという指摘もあります。「主語が必ずあってあたりまえ」「目的語がないなんておかしい」というふうに「他の言語にあるんだから日本語でも同じはず」を出発点にするとかえってよくわからないことがあるのだということが実感されてきました。ただし本書でこの先出てくる例については、日本語でも「主語」「目的語」という区別を用いることにして、話をすすめます。

†関係節って英語で出てくるやつですよね？

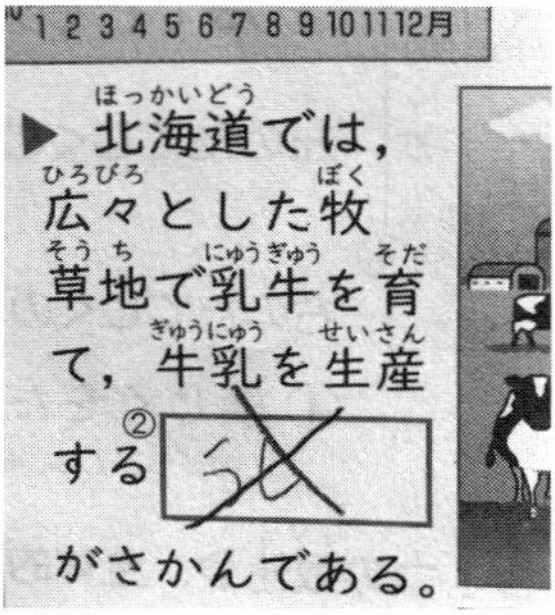

3-3　問題読むのが面倒すぎたのか？

こうした、助詞の情報の複雑さに加え、構文レベルの複雑さに追い打ちをかけられてみましょう。はじまりはこんな社会のプリント（3－3）。「うし」って……もう、思考するの面倒だから絵だけ見て思い付いたことを書きました、ってかんじですが……自分でもおかしいと思わなかったのでしょうか。文全体としては崩壊している日本語ですが、局所的には「牛乳を生産する［うし］」というつもりなんでしょうね。一方、出題者が意図した正解は、「北海道では、広々とした牧草地で乳牛を育て、牛乳を生産する［らく農］がさかんである」だと思われます。

「牛乳を生産する［うし］」

と、

「広々とした牧草地で乳牛を育て、牛乳を生産する［らく農］」

では、設問への答えとしては月とすっぽんどころじゃない違いがありますが、かろうじて共通している点といえば、「連体修飾節」と「被修飾語」の関係ですね。

体言（名詞句）を修飾するものをいろいろひっくるめて連体修飾語、または複数の単語からなるなら連体修飾部といいますが、これは例えば「パン」という名詞、つまり体言に対してそれをもっと詳しく述べてくれる部分です。

例えば形容詞（おいしい［パン］）や、あるいは別の名詞に「の」をつけたもの（木村屋の［パン］）や、あるいはもっと長いもの（ぼくが徹夜で焼いた［パン］）などすべて「連体修飾語」（単語が二つ以上からなるならば「連体修飾部」）とくくられます。

「牛乳を生産する［うし］」

も、

「広々とした牧草地で乳牛を育て、牛乳を生産する［らく農］」

も、あるいは

「うしが牛乳を生産する［牛乳］」

「うしが牛乳を生産する［農場］」

も、すべて国語の学校文法の枠組みでは「連体修飾部」です。

そして、ちょっと長いだけでなく効果的に食欲をそそる「連体修飾部」がコンビニに行けば百花繚乱の様相を呈しています。

「華やかに香り立つ紅茶ケーキのふんわりアイスサンド」

「富士山の銘水で炊き上げた紅鮭がゆ」

「行列のできるお店のボロネーゼ」

「ベルギー産の発酵バターが華やかに香るクロワッサン」

「糖質を考えたシュークリーム」

このように、連体修飾部の中に「生産する」とか「香り立つ」「炊き上げた」「香る」「できる」「考えた」など述語を備え、ほぼ文の形をとるようなものは、関係節と位置づけ

Cows　［which（意味上の主語＝cows）produce milk］
↑　↑　↑
先行詞　関係代名詞　関係節内での、先行詞の意味上の場所

［（意味上の主語＝うしが）牛乳を生産する］　うし
↑　↑
関係節内での、後行詞の意味上の場所　先行詞（いや、後ろにあるから「後行詞」）

3-4

られます。というか、関係節といえるはずなのですが、そういえば国語の授業で関係節という用語はでてきたことがありませんよね。

そう、「関係節」も「目的語」と同じく、英語の授業で初めて我々が耳にした用語だと思います。なかには「えっ、関係節って英語にだけあるものじゃなかったの？」と思う人もいるかもしれません。

なんせ、「先行詞を見つけて、あとは後ろから順に解釈する」とか、「which とか who とか whom とか that などのうち適切な関係代名詞を選ばされる」とか、おおよそ英語の時間に苦労させられて、あ～あんなの日本語になくてよかった、って刷り込まれていたからかもしれません。

でもこれらの例をみるかぎり、言わんとしていることは日本語の

「牛乳を生産する［うし］」

Milk　［which cows produce（意味上の目的語＝milk）］
↑　　　↑　　　　　　　　　　　　　　↑
先行詞　関係代名詞　　　　関係節内での、先行詞の意味上の場所

［うしが（意味上の目的語＝牛乳を）生産する］牛乳
　　　　　　↑　　　　　　　　　　　　↑
関係節内での、後行詞の意味上の場所　　先行詞（いや、後ろにあるから「後行詞」）

3-5

「うしが生産する［牛乳］」に対応することがわかります（3－4、3－5）。ただし、英語の「先行詞」にあたるものは日本語では語順的に後ろに来るので「後行詞」と呼ぶことにします（いずれも関係節の被修飾語）。

というわけで、これらも関係節だと考える立場をとるならば、ここにあげた英語と日本語の関係節の共通点としては、以下のとおりです。

・修飾部が文の形をとる（述語がある）。
・その修飾部としての文の中では、主語か目的語かどちらかが消えている。
・その消えているものと、先行詞または後行詞が意味的に共通している。

［（意味上の場所情報＝農場で）うしが牛乳を生産する］農場
↑ 関係節内での、後行詞の意味上の場所
↑ 先行詞（いや、後ろにあるから「後行詞」）

The farm［where cows produce milk（意味上の場所情報＝in the farm）］
↑ 先行詞
↑ 関係副詞
↑ 関係節内での、先行詞の意味上の場所

3-6

一方、英語と日本語で異なる点は、

・英語だと関係節（連体修飾部）より前に被修飾語が来る（からそれを先行詞という）。一方日本語では、関係節（連体修飾部）の後に被修飾語が来る（先行詞とはいえないのでここでは無理矢理後行詞と呼ぶ）。

・英語だと、ここから関係節が始まるよ、という場所に「関係代名詞」が置けるが日本語にはそれはない。

ということが、これらの文（3-4、3-5）を比べてみたら改めて確認できるのではないでしょうか。

そして、関係節の中の要素で、関係節の中では姿を消しつつ、先行詞（または後行詞）と意味上の関係をむすべるのは、主語・目的語以外にも、「いつ」とか「どこ」とか「何のために」とかいろいろありえます（when, where, why などと結ぶ場合は「関係副詞節」と習いましたっけね、3－6）。

✝これ本当に関係節なの？

「いろいろありえる」と書きましたが、この「いろいろ」っぷりでは、実は日本語はかなりフリーダムなのです。

以下、文のなかのどの部分が先行詞（じゃなくて後行詞）の意味上の役割を担っているのか特定するのが難しいと言われる文です。関係節をそのまま英語に直訳しようとしたらいかにも困難であることがわかります。

全米が泣いた映画
サンマを焼いている煙
湯が沸いた音
声がよくなる飴
走り出したくなる気分

……そしてこの文もその仲間といってもいいでしょう。

広々とした牧草地で乳牛を育て、牛乳を生産するらく農

それに比べれば次の文のように、主語が後行詞と意味上関係している主語関係節のほうが、構文としてはスッキリしているといえるでしょう。

［（意味上の主語＝うしが）牛乳を生産する］うし

と、息子のトンデモ解答を無理矢理正当化するのにここまでかかりました！

このように、後行詞（被修飾名詞）が、関係節内でどんな意味上・文法上の役割（主語や目的語）を担っているのかがはっきりしている場合と、そうでない（関係節内の中での主語や目的語などの役割（格関係と呼ばれる）が見いだせない）場合があって、前者は日本語学では「内の関係の連体修飾」、後者を「外の関係の連体修飾」とされています（文献案内に『寺村秀夫論文集Ⅰ』をあげました）。

節内での役割が見当たらない以上、「関係節」と呼ぶこと自体無理があるかもしれないですね。国語学でそもそも「関係節」という用語が使われない（まとめて「連体修飾部」）のも一理ある旨、納得しました。

なお、今回とりあげた例からわかるように、内の関係であろうと外の関係であろうと、「牛乳を生産する」という節の形はどちらも見かけ上同じ形をしているわけですが、これは日本語ならではの特徴であるようです。

［（意味上の主語＝うしが）牛乳を生産する］うし

［（広々とした牧草地で乳牛を育て、）牛乳を生産する］らく農

で、「うし」から離れて、さきほどのコンビニ商品名に大人気の関係節、あるいは「連体修飾部」ですが、

「華やかに香り立つ紅茶ケーキのふんわりアイスサンド」

「富士山の銘水で炊き上げた紅鮭がゆ」

「行列ができるお店のボロネーゼ」（本当は「行列のできる」ですが、ここでの「の」は主語の「が」と同様の役割で使われているので話を簡単にするために「が」に置き換えました）

「ベルギー産の発酵バターが華やかに香るクロワッサン」

「糖質を考えたシュークリーム」

最初のは、

「（意味上の主語＝紅茶ケーキが）華やかに香り立つ」紅茶ケーキ

（紅茶ケーキ＝関係節／連体修飾部内の意味上の主語）（香るのは紅茶ケーキなのか紅茶なのか微妙ですがそういうことにしておきましょう）

ふたつめは、省略されているらしき主語（シェフ？）を補って

「シェフが（意味上の目的語＝紅鮭がゆを）富士山の銘水で炊き上げた」紅鮭がゆ

（紅鮭がゆ＝関係節／連体修飾部内の意味上の目的語）

というふうに、関係節の主役がその関係節内の主語または目的語だという場合は単語さえ分かれば英語に訳しやすそうなものです。

みっつめは

［（意味上の場所情報＝お店で）行列ができる］お店

（お店＝関係節／連体修飾部内の意味上の場所情報）

で、これもwhereという場所情報を示す関係副詞で英語に直訳できそうです。

しかし

「ベルギー産の発酵バターが華やかに香るクロワッサン」

となってくると、「クロワッサン」の役割を訳出するのが若干難しくなってきますし、

「糖質を考えたシュークリーム」に至っては、ぱっと聞けば言わんとしていることは何の問題もなく伝わるのに、「糖質を考えた」という節の中で「シュークリーム」がどういう役割を果たしているのかは、あらためてその文法構造を考えるとまったく謎めいてきます。

シュークリームが「自分って糖質多すぎなんじゃないか」と考えた、という意味（シュークリーム＝意味上の主語）ではなく（アンパンマンの新キャラという文脈ならありかもしれないけど）、意味するところは「甘いものは好きだけど糖質の摂りすぎが気になる消費者でも安心して食べられるシュークリームをメーカーが開発した」であることは誰にでもちゃんと伝わるのですが、これどういう意味なのか日本語話者じゃない人に説明してとか、英語にしてみてとか言われたら、すくなくとも直訳は絶対ムリ！ということに気づかされます。

国語の時間に習う学校文法でもやはり「関係節」というくくり方はされず、これら「関係節相当」のケースも含めたいろいろな表現の共通点をもとに「連体修飾部」（名詞的なものをより詳しく修飾するあらゆるタイプの要素）という大きな枠でくるかという見方に重点が置かれているのですね。

というわけで、関係節表現は、英語にあって日本語にはないわけじゃないという見方はできるものの、関係節の文法的レパートリーには日英語をとってみても言語の間でけっこうな違いがあることがわかりました。そうした先行詞／後行詞の役割レパートリーの違いを考えるとあえて「関係節」とは分類しない考え方も一理あることも同時にうかがえました。また、「日本語の関係節」という分け方を維持するにしても、先にあげた、英語と日本語で異なる文法的特徴が多々あることを踏まえて考える必要があります。

- 英語だと関係節（連体修飾部）より前に被修飾語が来る（からそれを先行詞という）。一方日本語では、関係節（連体修飾部）の後に被修飾語が来る（先行詞とはいえないのでここでは無理矢理後行詞と呼ぶ）
- 英語だと、ここから関係節が始まるよ、という場所に「関係代名詞」が置けるが日本語にはそれはないこうした違いを踏まえたうえで、次章では引き続き説明（用語の使い方）のうえでは、日本語の関係節という呼び方を続けます。日本語の関係節を含む文をリアルタイムで聞いたり読んだりして頭の中で解釈していくしくみを考えた場合、実は相当やっかい、いや面白い問題が浮き彫りになります。

それでは続きは次章で。

第四章

日本語って難しいの?

——文理解と曖昧性

突然ですが、

警察官が中学生をカツアゲしたヤンキーに説教した。

というような文をもし見たらちょっとびっくりしませんか。実はこれとまったく同じ構文の（単語を入れ替えただけ）の新聞の見出しを見たことがあって、ここではそれをもとにしています。

ここでは、警察官が中学生をカツアゲ？　世も末だな、懲戒免職決定、ってリアクションが頭によぎるのでは。しかし最後まで読めば、「警察官が中学生をカツアゲした」……ではなく、「ヤンキーが中学生をカツアゲした」ということがわかります。

つまりこの文は、正しくは以下のような関係節構造のもとに解釈すべきだったのでした（もしも、ここから読み始めて「日本語に関係節ってあるの？」という疑問を持たれた方はひとつ前の章をごらんください）。

警察官が［（意味上の主語＝ヤンキーが）中学生をカツアゲした］ヤンキーに説教した。

さて、この紛らわしい例文。適切に句読点を打ったり、語順を工夫すればより誤解の少ない表現が可能なのでしょうが、だけどもとのままの文だって、日本語としてどこも間違っているわけではないのです。だけど、この警察官、これじゃ読者のみなさんに一時的に濡れ衣を着せられるのは不可避ですね。

こんな「一時的な誤解」はなぜ起こるのでしょう。

†ガーデンパスでどんでん返し

我々は通常、文を聞いたり読んだりする際、文全体の情報を一度に得ることはかないません。よほど短い文ならまだしも、一定の長さを持った文なら同時に文頭から文末まで一度に入力するのは無理だと実感できるでしょうし、考えてみたら音声として聞く場合も、すべからく時間軸に従うしかないのです。

入力そのものは順序を追って少しずつ得られる情報であり、それに私たちは頭の中でその都度、即時的・逐次的に解釈を与えていくわけです。それはどの言語を話す人の頭の中でも共通したメカニズムによるはずですが、そこでやっかいなのが日本語の「大事な情報は最後」という特徴です。

警察官が……（警察官が主語なんだな）

警察官が中学生を……（警察官が中学生をどうにかしたんだな、中学生は同じ述部（まだ出てきてないけど）の目的語なんだな）

この時点で誰が何を「どうした」という話なのかは、肝心の動詞がまだ出てこないので全然わからないのですが、我々の頭の中の文理解装置（文法知識およびその他の情報を駆使して、入力である単語列の文法構造を割り出していくしくみ）は、「警察官」「中学生」といった名詞の連続は、通常は同じ文の中で、共通の述部を持った要素だと予測すると考えられています。

さあここで動詞が入力されます。文法的にはここまでは予測どおりの入力です。

警察官が中学生をカツアゲした……

ここで文が終わればいいのですが（内容は世も末だとしても）、しかし、まだ続きがあるかもしれません。

警察官が中学生をカツアゲしたヤンキーに……

ここで解釈が一転。「カツアゲした」で文が完結していれば登場するはずのない「ヤンキー」の入力により何が変わるかというと、「中学生をカツアゲしたヤンキー」の部分がひとまとまりの、関係節で修飾された名詞句であり、「警察官が」のあとでいちど文が区切れていたのか、ということになります。すると、「警察官」と「中学生」は同じ述部を共有していなかったことになります。

このように、文を読んでいる最中に頭の中で文の文法構造を徐々に割り出す作業のなかで「あ、違った」となる反応やそれによる処理作業の滞《とどこお》りを、ガーデンパス（袋小路）現象といいます（ガーデンといっても日本の一般的な猫の額サイズのお庭では袋小路といわれてもぴんときませんが、西洋のお屋敷にある薔薇の迷宮のような庭園を思い浮かべてください）。

単語と単語の文法的関係の可能性が複数あった際、ある解釈を優先させて処理をすすめたところ、その後の入力との矛盾が起こり、ここまで積み上げてきた文法構造の修正を余儀なくされている、そんな事態です（薔薇の迷宮でヤンキーに出会うとはシュールすぎてたとえになりにくいですが）。

英語に直してみる

そういえばこの「中学生をカツアゲしたヤンキー」の部分、なぜか英語になおしたほうが意外とわかりやすい気がします（ヤンキー、ワル＝a delinquent、誰かから金を奪う＝mugという訳にしてみます）。

A delinquent	who	mugged a school boy
先行詞	関係代名詞	関係節

英語では先行詞 a delinquent（＝ヤンキー、としておきます）が提示されたあとに、関係代名詞 who が、そのあとの関係節部分を導入しています。読む方にしてみたらそこから関係節が始まること、そしてそれは直前の先行詞を詳しく言う情報だということは最初か

らわかったうえで理解をすすめることができます。一方日本語では……

中学生をカツアゲした　ヤンキー
関係節　後行詞

英語に直訳したバージョンとの表面上の違いといえば、日本語では「英語では先行詞にあたるものがいちばん後ろにくる」(ので前章では「後行詞」ということにしていたのでした)と、「who, which 等の関係代名詞にあたるものがない」という点です。結果として日本語では、関係節部分を読んでいる時点でそれが関係節であると読み手が自覚できていないという事態が起こりえます。

私たちが英語の関係節を初めて教わったときは、関係代名詞なんてものが出てきたり、うしろから解釈するよう練習させられたり、なんだかとてもとっつきにくかったように思います。

しかし右のような日本語の例をみるかぎり、母語話者が実際にリアルタイムで読んだり聞いたりして理解する側にどれだけ親切か、というと、むしろ日本語のほうが不親切なのではと思わざるを得ませんよね。

なにせ、英語では関係代名詞 who とか which とかにより、少なくとも「今から関係節が始まります」と合図があるのに、日本語では、事後報告。

つまりここでは「ヤンキー」の出現により「あ、ここまでが関係節だし。え？　関係節が始まってたって聞いてねえって？　サーセン！」ですから（がんばってヤンキー風口調にしてみた）。

だけど大事なのは、それでも私たち日本語話者は、こうした「関係節始まってたって聞いてないんですけど！」あるいは関係節に限らずとも「動詞などの肝心な情報が最後に来るのでどんでん返しやむなし」的な文を、ほぼ日常的に、大きな混乱もなく（まあ、だいたい）無意識に処理していることです。だから実は日本語の関係節って、読み手聞き手にとって不親切だということを意識することもあまりないかもしれません。

よって、正確には、「英語より日本語のほうが難しそう」というよりは、「英語より日本語のほうが、人間がスムーズにリアルタイムで文を理解できるという事実を説明するのが難しそう」というべきでしょう。

人間一般の文処理においては、見たり聞いたりした単語の列を得られた順に機械的に流れ作業で解釈していくという以上の相当高度な処理がされているはずです。

†大事なことをなぜあとに?

日本語では、関係節に限らず、従属節(目的語全体が埋め込み文になっている。英語だったらthat節など)においても、埋め込み文が存在しますという標識は、埋め込み文本体のあとについています(「補文標識」といいます。日本語だと「〜したと言った」の「と」や、「〜したことを知った」の「こと」等)。

これが英語のthat節であればその名のとおり、thatによって「今から埋め込み文が始まります」という情報が得られるのに、日本語では埋め込み文の一部なのか主文の要素なのかわからないまま私たちは文を処理することを余儀なくされることが多々あるわけです。

そういえば自分が小学生のとき、デタラメな内容で文を始めてその最後に「っというのはウソっ♪」というイタズラが流行りました。日本語の語順の特性を利用した高度な遊びだったのですね。それに比して内容はだいぶくだらなかったですが。

警察官が中学生をカツアゲしたというのはウソ

さらにいうと、単純な単文でも、日本語の語順では述語（動詞）が得られるのは文の最後なので、それより前に入力される要素はすべて、いったいどういう述語が得られるのか、その述語とここまでの登場人（事）物の関係はどうなのか、わからないまま読み（聞き）すすめていかなければならない時点ですでに不便な気がします。

警察官が中学生を夜中に繁華街で……（補導した？　カツアゲした？）
ヤンキーが中学生に繁華街で……（からんだ？　からまれた？）

日本語には格助詞があって、「が」「を」「に」などの働きにより「誰かが誰かに何かしかけた」「誰かが何かをどうにかした」という予測が立ちそうだと期待されそうなものですが、前章で書いたように、「は」がついたら格助詞の情報が駆逐されてしまうとか、そもそも「が」がつくものが主語とは限らないという問題がありました。

ごみは、ぼくが捨てておいたよ。（主語は「ごみは」ちゃうやろ！）

あなたが好きよ、とっても。(「あなたが」は主語じゃないよね)
ぼくも君が好きだよ。(「君が」は主語じゃないよね。「も」がつく方が主語だね)
っていうかぼく、君も元カノも好きなんだよ(こんどは「も」がつくけど主語じゃない。
ってかこの男は許せないね。→「この男は」も主語じゃない)
ぼく、君も元カノも好きだけど今の彼女は好きじゃなくなっちゃった。(今の彼女も別におったんか〜い! この「今の彼女」も「は」がつくけど主語じゃない)
まったくこの男は性格がいいかげんだ。(主語は「性格が」?「この男は」?)
一〇カ国語が話せるからっていい気になるなよ。(「話せる」の主語は「一〇カ国語が」…んなわけない! じゃあ何が主語?)
私に一〇カ国語が話せるのはこの教材のおかげです。(こっちはちゃんと「私」っていう主語がある……って、えっ、「に」がついてるのに主語なの?)

そして「に」に至っては英語のtoにあたる意味かもしれないしfromかもしれないしatかもしれないし受動態のbyに相当かもしれない、間接目的語かもしれないし主語かもしれないという有様です。

中学生にからんだ（「に」＝間接目的語を示す与格）
中学生にからまれた（「に」＝英語に置き換えるとby）
繁華街に行く（「に」＝英語に置き換えるとto）
繁華街に住む（「に」＝英語に置き換えるとin）

助詞から得られる情報はこのように盤石では決してありません。少なくとも、「助詞のおかげで述語がなくても文構造は予測して組み立てられるでしょう」と期待できるほどには。

†自由とひきかえに……

さらに、日本語が謳歌する「自由」な側面の代償も考えてみましょう。省略の自由と語順の自由です。

省略の自由というのは、第三章ですでに述べたように、文の要素がかなり自由に省略できるという点です。

○（いえる）　叔母を手伝ったよ。（主語を省略してみた）
○（いえる）　昨日手伝ったよ。（主語と目的語を省略してみた）
○（いえる）　手伝ったよ。（主語も副詞も目的語も省略してみた）

もうひとつは、語順の自由。日本語では、動詞より前にある文の主要素の語順はかなり自由です。

警察官が犯人を逮捕した。（そろそろカツアゲから離れよう）
犯人を警察官が逮捕した。
警察官が犯人を取調官に引き渡した。
取調官に警察官が犯人を引き渡した。
犯人を警察官が取調官に引き渡した。

もし自分が日本語を外国語として学習する立場だったら、こうした自由はある意味ありがたいことかもしれません。英語の時間に注意されるように「目的語ないとだめなのに書いてないから×」とか言われなくてすみそうだし、また語順の間違いをしでかす可能性も軽減するでしょう。

しかし、表現のきまりが柔軟だということは、表現された文を解釈する側にとってみたら、かえって情報が少ないということを意味します。

「犯人を……」で文が始まったような場合、これは主語が省略されたから目的語始まりの文なのか、語順が自由なゆえに目的語から始まっているがこのあとに主語にあたるものが入力される予定なのか、はたまた主語不在にみえるのは主語関係節の一部だからなのか、多数の可能性を残したまま読み進めていかなければならないのです。

犯人を逮捕した。(主語が省略されていた)
犯人を新米警察官が逮捕した。(語順が入れ替わっていただけ)
犯人を逮捕した新米警察官を警視総監が表彰した。(関係節が始まってました)

さらに関係節の話に戻ると、すぐ左の関係節だと「新米警察官を」、そして先ほどの

「警察官が中学生をカツアゲしたヤンキーを……」だと「ヤンキーを」で、すでに関係節が始まっていたことがわかったとしても、じゃあその関係節は具体的にどこから始まっていたのかという問題が生じます。いずれの文も以下のように主語関係節だと解釈することができるでしょうが。

［（関係節の主語＝新米警察官が）犯人を逮捕した］新米警察官を警視総監が表彰した。

警察官が［（関係節の主語＝ヤンキーが）中学生をカツアゲした］ヤンキーに……

しかしこれ、もしかしたら関係節は以下の例のように「カツアゲした（ヤンキー）」という部分だけかもしれません。またもっぱらヤンキーカツアゲの話になってしまいましたが、可能な解釈の一例をあげます。

警察官が中学生を［（関係節の主語＝ヤンキーが）（省略された目的語＝前述の中学生を、または別の誰かを）カツアゲした］ヤンキーに……

ですので、関係節が文の序盤から始まっていたらしいという情報が文の中盤で仮に得られたとしても、それはどこから始まっていたのかという情報が必ずしも得られないまま文を読み進めなければなりません。どこからが関係節だったのか、「中学生を」はそこに入るのか、文の序盤に現れた要素の位置づけが、文の最後の最後までわからないという事態もあり得るのです（次頁のイラスト参照）。

これは、心理言語学の分野では、一九九〇年代に入るころ「人間が、文の全体をあらかじめ読み込んでからおもむろに、ではなく、部分的な入力に即していかに素早く解釈を進めることを説明するにはどのようなしくみが考えられるか」を探ろうとする人間の文理解研究にとって、大きな問題をつきつけました。

それまで検討されていた人間の文処理モデルは、英語をはじめとする西欧語のデータを中心に構築されていたため、関係節であれば先行詞が先、そして文単位でいうと、動詞などの述語部分が比較的早い段階で得られる（英語なら主語のあとほぼすぐ）のでその後の情報の予測がいかにもしやすそう、ということが前提とされていたからです。

日本人の子供でも例えば中国語環境で育てられれば中国語を話すように、またその逆も

警察官が中学生をカツアゲしたヤンキーに警察署の一室でお灸を据えた

警察官が中学生をカツアゲしたヤンキーに警察署の一室で引き合わせた

成り立つように、人間の脳はどの言語でも獲得可能な機能を持っています。同様に、獲得した言語知識を運用するための人間の脳内の文処理装置だって、その人の身に付ける言語が何語であろうと、性能や初期状態の性質的には同じものが備わっていると考える以上は、日本語のような言語にも対応可能であるはずです。

となると、主に西欧語の特性を念頭においた既存の説明では無理があるらしい、ということに研究者たちの注意が集まったのです。重要な情報が最初のほうにでてこない言語にも対応可能な文処理のしくみは、どれくらいの情報の保留を想定するのか、どの程度まで同時に異なる構造の可能性を計算することができるのか、どのような情報を用いてどの程度予測による処理を行うのかなど、最新の研究でもさまざまな議論が交わされています。

†全部読んでも結局曖昧なとき

さてここまでは、「じつは関係節?」「どこからが関係節?」という解釈に関わる一時的な構造的曖昧性についてみてきましたが、このようにこの文どこに切れ目があったの?という問題は、いろいろな構文においても起こります。

最近の実例だと新関脇・若隆景の取組を評したこんな記事も（二〇二二年三月二二日、

sanspo.com より。これを大津由紀雄氏がフェイスブックにて言及)。

NHKでテレビ解説を務めた北の富士勝昭氏(79)＝元横綱＝は額から流血しながらも、相手を寄り切った一番に、「見事ですね。見事としか言いようがないんじゃないですか。やっぱりいいね」と太鼓判を押していた

流血しながら解説を続ける北の富士元横綱! いや流血したのは若隆景関なんですね(まあここではテンの打ち方も紛らわしいですが)。

また、第一章で紹介した例ですが、小学生が藪から棒に「ちょっとききたいんだけどさ、「すごく評価を下げられてる気がする」っていうとするじゃん、それってすごく評価が下がってるって意味なのか、評価下げられてるなってすごく伝わってくるってことか、どっちの意味なの?」と訊ねてきたという件について再度触れます。

[すごく評価を下げられてる] 気がする
すごく [評価を下げられてる気がする]

「すごく」が「下げられてる」にかかるか「気がする」にかかるかという多義性のことを言っていたのですが、つまりここでは、文の最後まで情報が出尽くしても、どちらの構造も可能性としては排除されないままなのです。

このようなケースを「全体的な構造的曖昧性」といいます（先ほど「警察官が中学生を……」の例で示したような「一時的な構造的曖昧性」に対して）。

ここでまた、別の新聞記事を紹介します（二〇二〇年二月二四日、asahi.comより）。これを見てつい「サッカー選手が迷子になったんか？　いい大人だろ？　どういう事態？」ってぎょっとしたんですが、よく読んだら迷子になったのはワンちゃんのほうでした。そりゃそうか。

迷子になった選手の愛犬　拡散に次ぐ拡散、最後には発見

サッカーJ1大分トリニータのMF松本怜選手（31）の愛犬が22日、北海道室蘭市の実家付近で行方不明になった。

ここでは、「迷子になった」という部分が関係節であることについてははっきりしているのですが、こんどはその修飾対象（後行詞）が何なのか、可能性が二通り生じています。［迷子になった］選手がいて、その愛犬という意味なのか、「選手の愛犬」全体がひとまとまりの名詞句として後行詞とみなすべきなのか。

私は「迷子になった選手の愛犬」と聞いてつい左枝分かれ構造で解釈したわけですが（「選手が迷子になったんか〜い」的解釈）、これは日本語の語順でこれらを左から右に順番に読む以上自然な順序での解釈だといえるでしょう。

「迷子になった」の次の入力「選手」によって、「迷子になった」というのは関係節だとわかったからには、その係り先を、さっそく入力された「選手」にさっさと決めて解釈してしまえば、最初に入力された関係節部分を未処理物件として記憶にとどめておく必要もありません。

一方、「迷子になった」で連想しやすいものは、サッカー選手より犬だよね？というような一般常識（これが「失踪した」ならまたニュアンスが違うかも）、もしくは巷である語とある語が係り受けの関係を伴って一緒に登場する確率とか、そもそもこの選手が、自分の犬が迷子になったとツイートしてたのが拡散したから見つかった、という文脈だよねとか、そういう情報の優先度が高ければここでは右枝分かれ解釈（選手の愛犬が迷子になった）が採用されて当然かもしれません。なのに、より常識的になさそうなほうを選んだ私は何なんだろう……。

そういえば息子の漢字ドリルで、「大きな赤い花の絵をかく」という例文があったのですが（次頁）、せっかくだったら国語の先生や子供の宿題をみる保護者には「どういう意味だと思う？」とか話題にしてみてほしいなあ。

「大きな」は「花」にも「花の絵」にもどっちにも解釈できますものね。さらに「赤い」はどうだろう。楽しい授業になりそうだけど。

ちなみに息子、続いての「自分で文を作ってみましょう」という問題には……。

８０Ｍの赤ちゃんの絵をかく

いかなる常識をもってしてもどっちにも解釈できない構造曖昧性。この親にしてこの子あり、か。

†こじらせた曖昧性

最後まで読んでもその構造に複数の可能性があるというのは、目に見えている要素をどのように区切るかという問題だけではありません。表面上見えていない要素をどう解釈するかというのも重要な問題です。

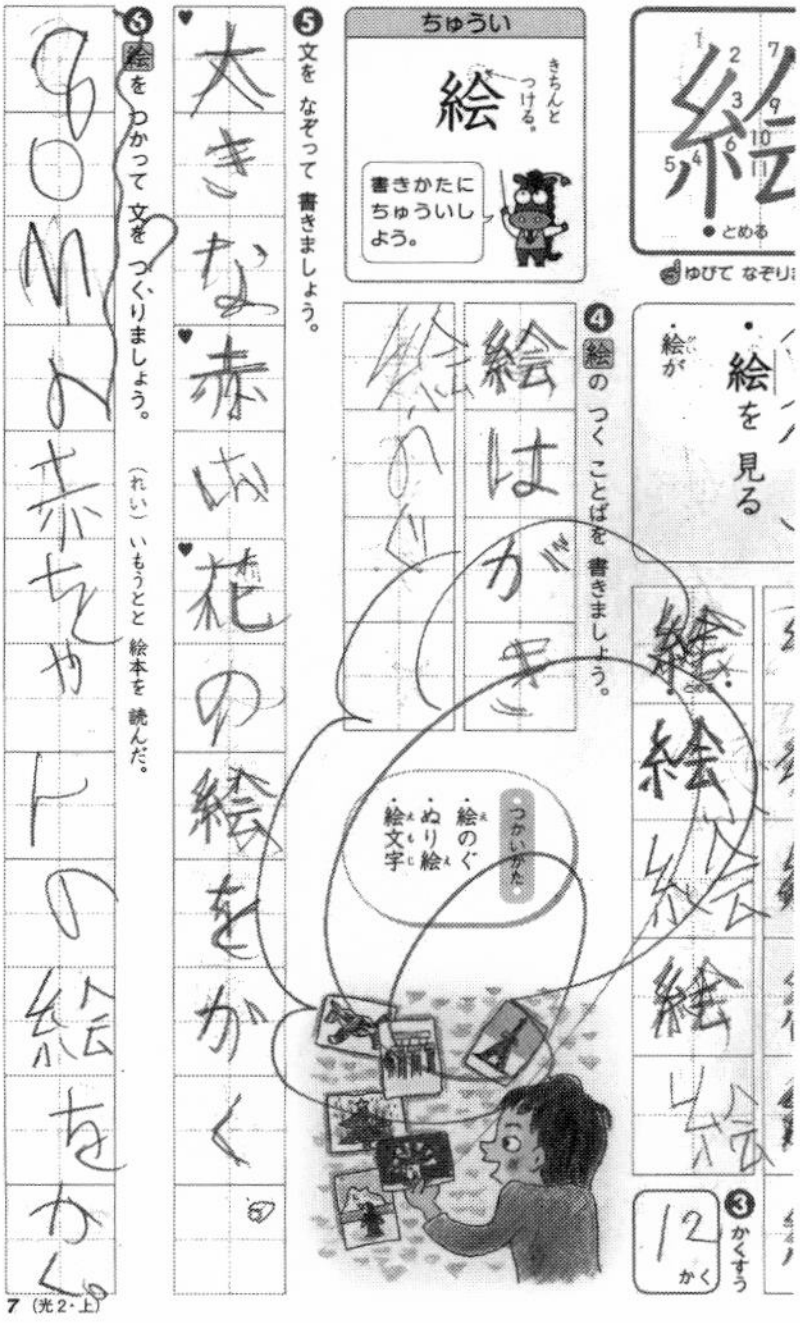

文を理解する際の「表面上見えていない要素」って何？と思われると思いますので、次頁にさきほどの例をもう一度上げてみます（またカツアゲヤンキーですみません……）。

警察官が中学生をカツアゲしたヤンキーに……

仮に、文の最後の最後にでてきた主節の述語（「引き合わせた」）が「中学生を」を目的語としていかにもとりそうだというヒントをもとに、「中学生を」は関係節の外に位置するものとしたうえで、「カツアゲした（ヤンキー）」の部分が関係節だと推定することができたとします。

警察官が中学生を［カツアゲした］ヤンキーに……

しかしここでもまだまだ、文法的には何通りもの解釈が可能です（イラスト化しないと、どう違うのか把握しにくいと思いますが……）。

警察官が中学生を［（関係節の主語＝ヤンキーが）（省略された目的語＝中学生を）カツアゲした］ヤンキーに……（一二五頁の下のイラストに相当）

警察官が中学生を［（関係節の主語＝ヤンキーが）（省略された目的語＝警察官を）カツアゲした］ヤンキーに……（カツアゲの加害者はヤンキー、被害者は警察官）

警察官が中学生を［（関係節の主語＝ヤンキーが）（省略された目的語＝どこかの第三者）カツアゲした］ヤンキーに……（カツアゲの加害者はヤンキー、被害者は不特定）

警察官が中学生を［（省略された主語＝警察官が）（関係節の目的語＝ヤンキーを）カツアゲした］ヤンキーに……（ヤンキーはカツアゲ被害者、そして加害者が警察官！）

警察官が中学生を［（省略された主語＝中学生が）（関係節の目的語＝ヤンキーを）カツアゲした］ヤンキーに……（ヤンキーはカツアゲ被害者、そして加害者が中学生！）

常識的にあり得そうな度合いや世界観にはかなりばらつきがあるにせよ、文法的にはいずれもあり得るものなのです。

ここでは、薄い色で表示した「表面上（音形を伴ったものとして）表されない要素」が文法的にどのような役割を持っているかを示しています。この関係節内には「カツアゲした」という動詞しかなくて、主語も目的語も表面的には現れていません（あるいは発音されません）。関係節内で後行詞と同じ意味内容をもつ要素は表面上削除されるので少なくとも一つの要素は、意味の上では、後行詞の内容を代入して解釈されることになります。そしてもう一方はどうやら単に省略されていると考えられます。

でも、もはやどちらも表面上は存在しないので、どっちがどっちかわかりません。ここで示したのは、どちらが主語目的語にそれぞれ対応するのか、また省略されたものは意味上何だとして解釈すればいいのか、少なくともこれだけの解釈があり得るという例です。

次の節では、さらにまだ「こじらせた曖昧性」が続きます。

†略しても、好きな人

日本語の「好きな人」っていう表現、幼稚園児から高齢者まで文字通り老若男女を問わず実によく使われるわりには、相当なくせ者です。インターネット上で拾ってきた以下のふたつの表現、どちらも「好きな人」という表現が使われていますが、実は構造（関係節の種類）がまったく異なります。

ユーミンと中島みゆきが好きな人は竹内まりやも好きなパターンは多いと思いますか？（Yahoo!知恵袋より。普通に考えたら、ユーミンファンなおかつ中島みゆきファンである人は竹内まりやファンでもあるのかな、という趣旨の質問ですね）

今あの人が好きな人は：XX錬愛術（あなたの意中の相手が、今興味を持っているお相手が誰なのかを当ててくれる占いサービスみたいです）

まず前者「ユーミンと中島みゆきが好きな人」は主語関係節。

［（主語）―ユーミンと中島みゆきが―好きな］人

先に述べたように「好き」は動詞でなく厳密には形容動詞ですが、その感情の持ち主（感情の主体）と、その感情の対象を、動詞でいう主語と目的語のように伴います。「好き」の主体（ここでは動詞のように「意味上の主語」とみなします）は「人」で、関係節内では表面的に削除されていますが、関係節構造のお約束として後行詞と同一だと解釈されます。「好き」の相手（感情の対象。ここでは動詞でいう目的語と同様に扱っておきます）は「ユーミンと中島みゆき」です。

目的語相当だけど「が」がつくのが、こうした心理状態・気持ちを表す一部の表現（感情形容詞・感情形容動詞）によくみられます（一方「〜を好き」とも言えるかどうかは個人の感覚で異なるようです）。

一方後者は冒頭の例と同じ、目的語関係節。

「あの人が——（目的語）—好きな」人

「好き」の主語は見てのとおり「あの人」で、表面的に削除されているのがその目的語です。関係節構造のお約束として後行詞と同一の内容を補うことになっていますから、意中のお相手という意味での「人」という意味ですね。

こんなわけで、「XXが好きな人」というありふれたフレーズですが、好きだという気持ちの持ち主を表すのか対象を表すのか、文脈から判断しないと分かりませんだなんて、よく考えたら我々はすごい綱渡りを強いられていますね。これって本来は、一つ間違ったら人間関係にヒビが入ったり、はたまた悲運のすれ違いが発生する危険があるという最重要案件だと思われますが、これでよく大丈夫だよな、日本人。

「好き」（または「嫌い」）に関してこんなにやっかいな理由の一つとして、先に述べたとおり、「好き」には「目的語（対象）にも「が」をつける」という性質があります。「が」は必ず主語（主体）、そして目的語（対象）なら「を」を使うと統一されていればちょっとは話は簡単なんでしょうけど……恋心と日本語はフクザツなものなのでしょう。

思うほうも思われるほうも、つけるのは「が」という時点ですでに十分混乱しますが、先に述べたとおり日本語では、文脈から判断可能とされる場合はそれごと省略することもできてしまいます。しかも実態としては、文脈から判断困難な場合でもばんばん省略されているようです。

なので、「好きな人」というありふれた表現ですが、「人」を後行詞とする関係節内に表面的に残っているのは「好きな」だけです。主語関係節の場合は目的語が、目的語関係節の場合は主語が、といった具合に表面上残っていてくれればある程度ヒントになるところなのに、ここでは「思う側が誰か」も「思われる側が誰か」も読み手・聞き手が得られる情報にはいずれも含まれていないのです。

そうなると片方は関係節構造だから削除されてて先行詞と意味的に一致、そしてもう片方はともかく省略、どっちがどっちかは読み手が適当に判断してね、ってことになってしまいますが、改めて考えると難易度かなり高いですよね。

この、「好きな人」が（好いてる側か好かれてる側か）どっちの意味なのか完全にわからないという事実と我々日本語話者はよくもまあ共存できているなあと思います。こんな程度の機微も読めなければそもそも恋愛なんかできるか！ってことなんでしょうか。

なお、主語なら「が」、目的語なら「を」だとはっきり決まっている多くの他動詞であれば、「ユーミンが好きな人」に見られるような構造的曖昧性はありません。たとえばそういう動詞を使った「審査員を批判した芸人」「審査員が批判した芸人」の解釈はそれぞれひとつとおりに決まると思います。なお、これらの文の英語版はまるで鏡像関係となることは前章で示したとおりです（次頁の図参照）。

†主語関係節 vs. 目的語関係節はホットな話題

ところで、主語関係節と目的語関係節って、どちらが難しいのでしょう。

もちろん母語話者にとってはどちらも問題なく理解できるに違いありませんが、文処理研究において、脳内の文処理システムにとってはどちらの構造がよりコストがかかるのか（かりに意識されるほどの違いがなくても）、という問題が長年関心を集めています。

この特定の関係節構造のコストを比較することによって、人間が頭の中で文構造を理解するという作業とはどういう計算をすることをいうのかについて有用なヒントが得られると期待されているからです。

例えば、英語においては、子供の習得順序も、また成人が文を読む速度を計測する実験においても、主語関係節のほうがアドバンテージがある（より早く習得され、また文の処理速度もより速い）とされています。

その説明として、文理解の過程では、先行詞と関係節内の意味上の位置の間の関係を把握する必要があり、文の中での両者の距離（例えば、単語やフレーズいくつ分離れているか）がその計算には影響するはずだという考え方があります。

主語関係節 ［（主語）　審査員を　批判した］芸人
目的語関係節 ［審査員が　（目的語）　批判した］芸人
主語関係節 the comedian who（主語）criticized the judge
目的語関係節 the comedian who the judge criticized（目的語）

関係節に限らず、このように、表面上の位置と、本来の位置（意味上の、という言い方をするとよりしっくりくると思いますが、構造上のもとの位置ということでもあります）との間の関係をもとにした情報の計算のあり方の実態について盛んな議論がされているのですが、関係節はそのなかでも人気の題材なのです。

そしてここで日本語は次のステップとしてたいへん貴重な役割を果たします。もし先にあげたような、先行詞／後行詞の位置と、それらの関係節内での本来の（意味上の、構造上の）位置の間の距離が、関係節の理解のコストを決める重要な要因であるなら、日本語の語順においては目的語関係節のほうがアドバンテージがあるという、つまり英語などとは逆の予測が成り立つからです。（語順は比較的自由だとはいっても）文の基本語順では目的語は主語よりあとに位置しますが、そうすると先行詞でなく後行詞にとっては目的語のほうがより近くなるというわけです。

実際の検証ではそのような事実は観察されず、主語関係節のほうが若干迅速に処理されるらしいことが示唆されています。そうすると、直線的な距離以外の、文中の要素間の距離の捉え方は何だろうか（例えば、詳細は省略しますが、木構造で表現した場合の「深さ」など)、あるいはそもそも構造そのものの計算コスト以外に決め手があるのではないか、など、今日まで多くの実験研究や議論が重ねられています。

†曖昧性が明らかにしてくれること

本章では、いろいろなタイプの構造的曖昧性についてみてきたわけですが、どうしてそんなに曖昧性に関心があるのかって？

心理言語学・文処理の研究においては、読み手として、あるいは聞き手として文を理解しようとする過程で構造的曖昧性が生じたときに人間はどちらの解釈を優先させる傾向があるかということにとても関心が持たれます。

こうした例が、人間にとってはどちらの構造を選ぶ方が認知的なコストがより低いのか、ということを教えてくれるはずですし、そのことによって、じゃあ人間が文を処理するときはどういう計算方法でどういう情報を使ってそれを行っているのか、という、目に見えない問題の答えに迫ることができるだろうと期待されているのです。

第五章

小さい「っ」の正体
——特殊モーラと音声知覚

†小さい文字はちょとむずかしい

小さい文字……老眼を患い始めた身にはたしかにつらいものですが、今日はもちろんその話ではありません。仮名表記で小さく書く「っ」「ゃ」「ゅ」「ょ」のお話です。

かなを習得中の小学一年生にとって、小さく書くかな文字ってどうやって教えるんだろう……左の5－1の設計図を見るかぎり、「ぎゅうにゅう」の「ゅ」は書けてますね（若干怪しいのもありますが）。一方、「ぱっく」は、一カ所をのぞいて「ぎゅうにゅうぱく」になっちゃってます。「ぎゅうにゅうぱくをきたもの」……か、かわいいぜ……。

小さい「っ」であれ「ゃ」「ゅ」「ょ」であれ、いずれも小さい仮名を使いこなせるようになることが小一の諸君へのミッション。しかし小さい「っ」と「っ」以外の小さい「ゃ」「ゅ」「ょ」は、だいぶ異なるものなのです。

†小さい「っ」の正体は？

小さい「っ」って……そもそも実際の「つ」の音とは関係ないのにここでどうして

5-1　割り箸と牛乳パックを切ったものを使って戦艦を作るための設計図（当時小1）

「っ」と書くのか、それはどういう音を表すのかということを、小学一年生に先生方はどうやって説明しているのか、ほんとうに興味があります。

　ちびっことはいえ日本語のネイティブなので、彼らは自分が日本語を話す際は、「ぱく」と「ぱっく」の、耳で聞いたときの違いは完璧に区別しているはずですし、（主観ですが）

発音においても区別されていたように思います。そして一方、ひらがなの「ぱ」と「つ」と「く」がそれぞれどういう音を表すはずなのかも別途知っているはず。

だけど、「ぱっく」と言ったときに発音されるその音を、「ぱ」と「く」の間に小さい「っ」を入れることによって表すということは、実はそんなに自明じゃないのかもしれません。たとえ我々大人には、当たり前としか思えないにしても。

でも、ひとつ言えることは、小さい「っ」は、小さい声で「つ」と言ってるわけではないということ。

私たちはもし「ねこ」という語を入れて俳句を詠むなら「ねこ」の部分は二音に数えますし、「根っこ」なら三音として数えます。この、私たちが音を区切る単位として使うのが、モーラ（拍）という単位で、たいていは仮名一文字に対応し、母音ひとつ（あ行）もしくは子音＋母音（か、さ、た、な……行）からなります。

これには多少例外的な位置づけのものがあり、「ん」「ー」（長く伸ばすその伸ばした部分）に加え、この小さい「っ」も、日本語では独立した一音、というか一音と数えるモーラとみなされる「特殊モーラ（拍）」と呼ばれています。

さてこの小さい「っ」はどういう音かというと、意外に実体が謎。「みっつ」と言いかけて小さい「っ」のところでわざと止めてみると、その瞬間たしかに「つ」って言ってる口の形をしています。「やっぱり、「つ」って言ってるのに近いかも」と感じられます。だけど「かっぱ」「ぱっく」「せっせ」で同じことをやってみると、小さい「っ」の瞬間に「つ」って言ってる感はだいぶ希薄になりませんか。むしろ口の中は、次の「ぱ」「く」「せ」の発音を先取りした形になっているはずです。

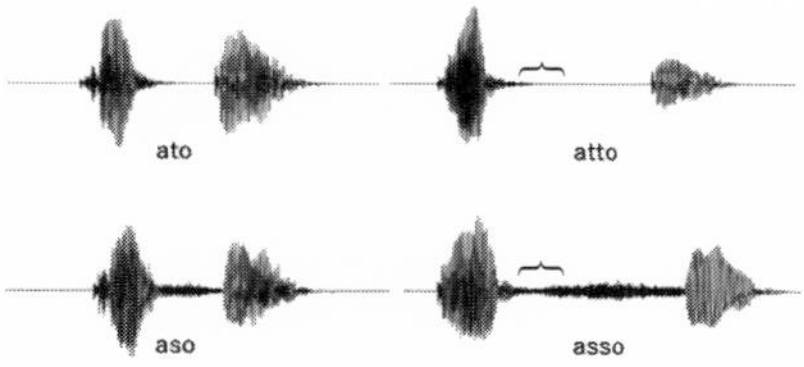

5-2　印をつけたのがだいたい小さい「っ」のあたり

「かっぱ」と言うときは「っ」の部分では「ぱ」のp部分の準備として両唇を閉じる構え、「ぱっく」と言うときの「っ」の部分では「く」のk部分の準備として口の奥のほうを閉じる構え、「せっせ」と言うときの「っ」の部分では「せ」のs部分の準備。ここですでにsという音が感じられると思います。

5-2は、上段では「ato アト」「atto アット」と実際に発音してみた波形です。/atto/ のほう、つまり日本語でいう小さい「っ」が入ることによって長くなっているのは真ん中の「波形的には何もないところ」だと見て取れます。

これは、実際は「何も発音されていない」という意味の「無音」なのではありません。続く/t/の発音の準備というのは、閉鎖音（/t/の場合は上歯茎の裏と舌の部分で空気の流れの閉鎖を作ったのちにそれを開放する）のための閉鎖部分の構え（なので、表面的には無音でも、それは調音の一部）だということがわかります。なので、ここでの小さい「っ」は、閉鎖音のための閉鎖の準備がその主な実体となります。

一方、下段では「aso アソ」「asso アッソ」と実際に発音してみた波形です。s の音は、摩擦音といって、空気の通路を極端に狭めて乱気流を発生させるタイプの発音となり、波形の上では細い毛虫のように見えている部分です。「aso アソ」に比べて「asso アッソ」のほうで長くなっているのはまさにその摩擦音の部分であることがわかります。ここでは小さい「っ」の実体は摩擦音なのか？ということになります。

つまり小さい「っ」はそれ自体「こういう音」という固定した特性を持つわけでなく、次の音の情報を先取りしてほかの音と同等の長さを一拍とるというのがあえていえばその正体なのです。その正体不確定な存在を表す記号として、「つ」を小さく書いたもの、が代表として使われているというわけです。

ここで「つ」が選ばれたのはまったくのたまたまではなく、日本語の音の歴史的な変化に関わる理由があるそうなのですが、少なくとも現代の日本語の姿・それを習得する母語話者や学習者の感覚としては、とくに小さい「っ」で代表させる必然性は感じられないはずです。小さい「っ」の発音は実際、場合によって違う、が答えなのですから。

しかしながら、我々は誰も発音において「結局なんて発音するの？」「「つ」じゃないじゃん」などと混乱することはありません。小さい「っ」を含む単語は、母語話者みなバラバラでなく共通の発音として、その正体について考えたこともないのに、お互い理解しあっています。

†イタリア語にも小さい「っ」ってあるんですか

日本語母語話者のみなさん、もし「小さい「っ」の発音が本当は固定してないなんて初耳」「混乱するって発想すらなかった」と思われたとしても、これまで実際には何を発音してるのかは知らないまま、でもとにかくみんなもれなく正しく小さい「っ」を発音しているという事実はすごくないですか。

そして、日本語話者にとっては教わらなくても、正体を知らなくても発音できる一方、日本語を外国語として学習する人たちにとっては、案の定この小さい「っ」の部分は説明にも理解にも苦労する点だそうです。

ただ、他の言語のなかでも、比較的ウマが合いそうなのがあるな……。

Gucci
Paparazzi
Pizza
Spaghetti

グッチ、パパラッチ、ピッツァ、スパゲッティ……促音「っ」ってなんかイタリアンと相性がよさそう(!?)。

イタリア語由来の語を日本語で書き表そうとする際、カタカナだと小さい「ッ」がしっくりくるこれらは、綴《つづ》りを見れば自明ですが、二重子音、つまり、子音部分が長く発音されることを意味します。

-cci, -zzi, -zza, -tti という表記から、これらの音節の最初の子音部分が長いってことだよ、ってわかりやすいですよね。日本語の「ねこ」と「ねっこ」、「いしょう」と「いっしょう」が違う語であるように、capello（髪）vs. cappello（帽子）、fato（運命）vs. fatto（事実）は違う語になります。

日本語を話す私たちの感覚では小さい「っ」という、新たな一拍分の単位があるかないか、の違いになりますが、イタリア語ではp vs. ppやs vs. ssというように子音には単子音と二重子音があるんだよ、という違いに収まっています。

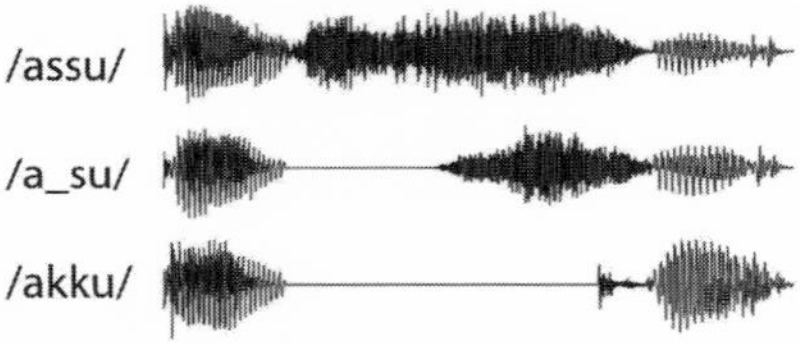

5-3　Sadakata et al.（2014）より

†イタリア語話者と日本語話者は似て非なるものを聞いている？

似たような違いを持つ日本語とイタリア語。だけどその実、頭の中でのこの違いの扱い方はまったく異なるものなのだということを示すたいへん興味深い実験をご紹介します。

Sadakataら（2014）は、/assu/（日本語で表記すると「アッス」）、/akku/（日本語だと「アック」）などの、日本語にもイタリア語にも実在しない無意味語を録音し、それらをもとに実験につくる音声を編集しました。

5－3を見ていただくと、5－2と同様に、/assu/だと摩擦音

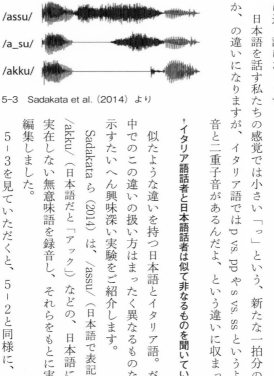

部分（黒い毛虫のように見える）が、/akku/ の /k/ は（/t/ と同じく閉鎖音の仲間なので）「一見無音」にみえる閉鎖部分が長い時間長を持っていることが見て取れます。

真ん中の /a_su/ というのは、下線部が正真正銘、本当の無音になっています。そんなものは人間には発音しろといわれてもうまくできるものではありませんが、ここでは人間の実際の /akku/ や /asu/ などの発音例をお手本に、人工的に編集して無音区間と差し替えて作っています。この /a_su/ のような、実際の発音としてはありえなそうな語と、/assu/ の区別がつくか、というのがこの実験の課題でした。

果たして、/a_su/ vs. /assu/ の区別、イタリア人（イタリア語母語話者）はできたけど日本人は同様にはできないようだというのが Sadakata らの結果でした。

もちろんこれは、言語音の聞き分け能力が日本人は全般的に低いといっているのではありません。「子音部分がより長い場合がある」ことは日本語とイタリア語では共通していますが、イタリア語の二重子音では、長くなった部分は同じ子音の特徴を引き続き共有していなければならないはずで、/s/ がもし二重子音だったら /ss/ でなければならない、つまり長くなっている部分は摩擦音の情報でなければおかしいのです。

一方日本語においては、小さい「っ」によって長くなる部分については、詳細な特徴は未定であることが許されています。本当は「アッス」といえば摩擦部分が一拍分長くなっているはずですが、そうではなく人工的に無音部分によって一拍分長くなっている場合でも、そこに実際には聞こえない情報（摩擦音の特徴）を補填《ほてん》して「っ」として頭の中で「見なす」ことができることが期待されていました。

日本語話者の頭の中では、実際は /a_su/（a＋無音＋su）という入力を自動補填の結果「アッス」と知覚するのと、本当に /assu/ という入力を受けて「アッス」と知覚するのとで、たどりつく結果が同じになったため、両者の聞き分けが難しくなるということが示されたことになります（なお本当はオランダ語話者とも比較していますが、ここでは割愛）。

†失ったのではない。手放したのだ

繰り返しますが、イタリア語話者に比べて日本語話者のほうが /a_su/ vs. /assu/ の区別に苦戦するというのは、日本人の聞き取り能力がおしなべて劣るという話ではありません。

日本語話者の音声知覚のしくみは、小さい「っ」に相当する一拍部分については、特定の音の特徴にこだわらず柔軟に判断する、つまりあえて敏感にならないよう選択して発達したということもできます。

同じことが、外国語では区別されるけど日本語では区別されない音の違い……おそらく真っ先に思い付くのが、英語の /l/ と /r/ の違いかと思いますが、それにも当てはまります。

巷の英語教材で「生まれたばかりの赤ちゃんは /l/ と /r/ も含めたどんな音の区別でもできるのに大人になるとその能力が失われてしまいます（だからこのDVDを買いましょう）」と謳われたものをよく目にしますが、/l/ と /r/ のその区別、失ったんじゃなくて、日本語にとって不要と判断しただけです。

/l/ と /r/ の違いがわからない私たち日本語話者は、そのことで卑屈になる前にまず「日本語ではそれらをあえて同じ分類として扱うことを習得した証拠である！」という自らの母語習得の成功を確認したうえで、「英語では区別してほしいというのなら努力してやらんこともない」くらいの姿勢で臨んでもいいのではないでしょうか（自分が苦手だからといってつい熱くなってしまった……）。

†聞いてる時点でカタカナ英語？

ほかの言語であれば区別されるべき音の特徴を「あえて無視することを習得する」というパターン（例：英語のlとr）に加えて、自分の言語限定の決まりにのっとって情報を補塡する（/a_su/の無音部分を小さい「っ」として解釈した結果、最初から/assu/と聞いた場合と同様に解釈してしまう）、というのがネイティブ話者の音知覚のあり方であることがわかってきました。正確であればあるほどいい、というときの「正確」の意味合いは意外に複雑なものですね。

この「日本語話者の脳内で、入力にはない情報を補塡する」例をもうひとつ挙げてみましょう。いわゆる「カタカナ英語」といえばわかりやすいでしょうか。

Christmas /krísməs/ → kurisumasu

Strike /straik/ → sutoraiku

日本語では、母音ひとつ、あるいは子音＋母音の組み合わせが原則ひとつのモーラを構成できる単位で（小さい「っ」、「ん」、「ー」（伸ばす音）が例外）で、子音が（/n/以外は）連続することはできません。

日本語話者が外国語で接する子音の連続に、右のように母音を補って発音しがちであることに我々母語話者の多くは心当たりがあるでしょう。よく補われるのは/u/で、ただし/t/や/d/のあとなら/o/（ストライク）、/ch/の後は/i/（ピッチ）だったりします。こうした結果は、いわゆるカタカナ英語だとして揶揄されることがありますが、カタカナでしか書けないからそうなるのではなく、実は音声を知覚する段階で母音を補って処理していることを示す実験結果があります。

/ebzo/ vs. /ebuzo/ というような無意味語を使った対立において、日本語話者は両者を同様に聞いている、なので両者の区別が困難だということが、フランス語母語話者との比較をとおしてDupouxら（1999）の研究で報告されているのです（控えめに自慢させていただくと、自分が大学院に入学してすぐの授業の期末レポートで書いた実験案が元ネタでした。共著者の先生方のおかげで驚くほど引用数の多い論文となって世に出ました）。

ここでも大事なことは、日本語母語話者はえてして聞き取り能力が低いということではなく、耳で聞いた情報を、日本語であり得る単位に修正して処理できるよう脳内のしくみが日本語仕様に発達した結果なのです。

このような「発達」はどれくらいの時期に進むのか、フランス語母語話者と日本語母語話者の赤ちゃんに対して聞き取り実験をしてみたいと思いますよね。しかし赤ちゃんに「今からいくつかの音声を流しますので違うのはどれだったか判断してください」などと指示して取り組んでもらえるわけはありません。

しかし、赤ちゃんは音声の刺激に対し、「最初は興味を示すが、だんだん慣れてきて興味が薄れる……が、音声が変化すると再び興味を示す」（馴化・脱馴化）ということ、また「音源のほうに顔を向ける度合いが、音声への興味を示す指標として有効」ということが別途わかっています。これを利用して、/ebzo/と/ebuzo/の間の切り替わりが赤ちゃんの音声知覚システムにとって「おっ、音が変わったぞ」と認識されるかを調べることができるというわけです。発達心理学では「選好注視法」と呼ばれています。

これを調べたMazukaら（2011）の実験では、八カ月児ではフランス語母語話者と日本語母語話者それぞれのグループの赤ちゃんいずれも/ebzo/と/ebuzo/の間の切り替わりに反応していたものの、月齢一四カ月ともなれば、日本語母語話者の赤ちゃんだけが、こうした「子音と子音の間の母音のあるなし」への切り替わりを「変わったぞ」とみなさなくなっていること（つまり無視）が報告されました。

これも、「音の知覚において、自分の言語で重要な単位（日本語の場合はモーラ）をちゃんと適用できるようになる」ための発達であり、決して「区別する能力の劣化」ではないのです（そうなってもらわなければ日本語話者としては困るのです）。

†ここも特殊だ日本語は

なお、他の特殊モーラ「ー」「ん」も日本語独特のステイタスを持っています。母音ひとつぶんと、伸ばしてふたつぶんの違い（ビルとビール）や、「ん」という区別は、日本語話者でない人たちには「いくら練習しても区別ができない」とよく言われます。

なので、この章の前のほうで紹介した /ebzo/ vs. /ebuzo/ の聞き分け実験には実は続きがあって、同じ方法で /ebuzo/ vs. /ebuuzo/（つまり日本語話者にしてみたら「ブ」なのか、「ブー」と伸ばしたものなのか）という対立について試してみると、今度は日本語話者のほうが（フランス語話者に比べ）区別が得意だということが確認されているのです。

また、子音だけなのに単位として独立している「ん」の存在も、日本語話者以外にはなかなかしっくりこないようで、「けんいち」「しんいち」などの日本語名はたびたび外国では「ケニチ」「シニチ」になってしまうこと、当事者の方々は経験しているのではないでしょうか。

連続した音の記号のなかから「ん」を独立させて認識するという「能力」は、日本語母語話者でも言語習得過程である程度時間をかけて身に付けるものなのだということをこの章のあとで再び触れようと思います。

（なお、小さい「っ」も、伸ばす音も、英語にだってあるじゃないかと鋭い指摘をしたくなる方もあると思いますが、*hit*, *top* などの最後の子音の直前に一瞬声門が閉鎖するそのシグナルを私たちが促音だととらえているわけで、日本語でいう小さい「っ」相当の独立した時間単位がもともとそこにあるわけではありません。また、長く伸ばす母音も英語にあるにはありますが、どちらかというとその母音を強く発音するときに結果として長さがより長くなるだけであって、日本語のように純粋に長さだけで区別されるものとは異なります。私たち日本語話者にとっては「長いやつと短いやつ」と捉えられるのでしょうが）

†小さい「ゃ」「ゅ」「ょ」（ねじる音・拗音）

さて冒頭の「ぎゅうにゅうぱくをきたもの」の例では「ぎゅうにゅう」はかろうじて書けていましたが、小さい「ゃ」「ゅ」「ょ」も決して最初から簡単ではないようです。ほらね（5-5）？

きゃ、きゅ、きょ、しゃ、しゅ、しょ、ちゃ、ちゅ、ちょ、きゃ、きゅ、きょ（そしてそれらに濁点や半濁点のついたもの）など……これらを、私たちは「ねじる音」として習いました。小さい「っ」と同じく小さい「ゃ」「ゅ」「ょ」も「ちいさく書く仮名」として一括りにされがちですが、実はだいぶ違います。

小さい「っ」はそれ自体私たちは一音とカウントする（俳句を作るときは一拍として数え

る）のに対して、小さい「ゃ」「ゅ」「ょ」は独立していない存在です。あくまで、直前の仮名とセットでやっとひとつの音を表すのです。

だから、俳句を作るなら「チップ」は三拍だけど「チョコ」は二拍ですよね。もしも「チョコレート」で一句詠むとなると（冬の季語？）、「チョコレート」は五拍に数えると思います（ただ、少なくとも私の周囲ではじゃんけんでチョキを出して勝ったらなぜか「チ・ヨ・コ・レ・ー・ト」と六歩進めたんですが、子ども心にだいぶ違和感をおぼえたものです）。

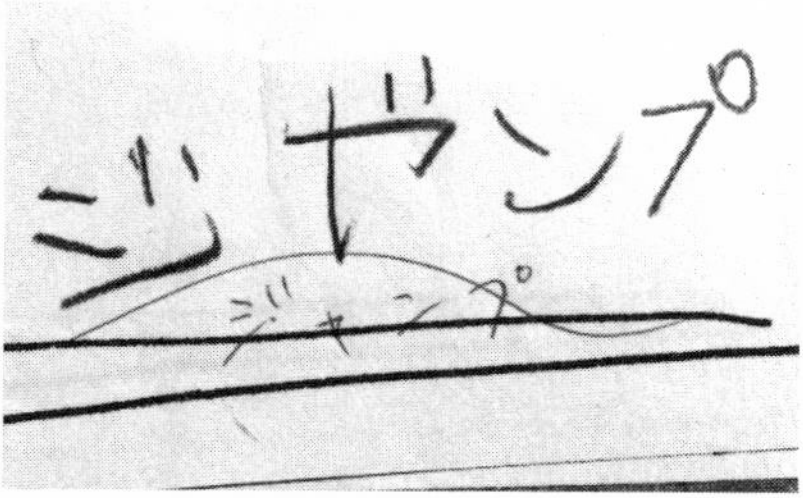

5-5 「ヤ」が大きいままなこと以外にもヘンですが

息子が仮名を覚え始めの頃、「れっしゃずかん」という絵本のタイトルに「なんで「し」が入っているの!?」と怒りはじめたことがありました。「しゃ」で表される音は、たしかに「し」が表す音と小さい「ゃ」を組み合わせて発音する音ではありません（「し」って言ってから「ゃ」と言うわけではない）。でもそんな疑問はオカン思いもよらんかったわ！

ひらがなは、あ行（母音のみ）・「ん」、そして小さい

「っ」以外は、基本、ひとつの文字はひとつの子音とひとつの母音のセットを表しますよね。

ところが小さい「ゃ」「ゅ」「ょ」を伴う拗音《ようおん》は、二文字を使って、ひとつの子音とひとつの母音のセットを表すことになり、そこで「しゃ」と言った場合に使われる「し」は、単独で表記される「し」としての音とは一致しません。

「しゃ」という音の中に「し」という音単位は入っていない、というあたりまえすぎる事実を、ひらがなを完璧に習得した私たちは一生意識することはないのかもしれません。

あえていえば、その後外国語（例えば英語）を学習するとき、一つの子音に文字一つ分を超えた範囲をあてることがある、例えばthという音はtとhの音を合わせたものってわけじゃないんだ、という事例に出会うことはあれど、自分たちの使っている日本語となると、本当は同じくらい不思議な例があってもかえってなかなか気づかないものです。

だけど、これからひらがなを学ぶのだという段階にある子どもや日本語学習者には、このように直感に沿った表記でないだけに混乱も大きいといえます（あ、でも、「チ・ョ・コ・レ・ー・ト」に違和感を感じた理由のひとつは、「チョコレート」という発音に「チ」と「ョ」という音が入っているとは認め難かったというのもあるかも……）。

†しりとりでわかること――音節を使う子どもたち

日本語でも、他の多くの言語でも、音と文字には対応があっても、完璧な一対一対応ではない場合がおうおうにしてあり、一定のズレも生じるもの。

幼児期の、文字を介さない言葉の世界から、学校に入り文字の役割が大きくなってくる世界への過渡期の変化は、しりとりをはじめとする言葉遊びのルールに垣間見ることができます。

「ちょうちょ」のあとは何の迷いもなく「ちょ」で続けようとする未就学児に対し、「ちょ」（音でいえば「ちょ」でひとつの単位）で受けるか「よ」（「最後に使われた文字」を重視）で受けるかでケンカをはじめる小学生、というのはきっと「あるある絵図」なのでしょう。

国語の時間でしりとりを扱うときも、このあたりの揺れには、特定のルールのもとに「正解・不正解」と決めるだけでなく、ルールのバリエーションにはそれぞれ根拠があり得ることに寛容であっていただきたいなと願います。

川原（2022）では、四歳の娘さんとのこんなしりとりが報告されています。

娘　マリア
私　アンパンマン……（しまった、「ん」で終わってしまった）
娘　マント
私　!!!

これは大人の感覚からしたら、まったくもってしりとりになっていないように思えます。「アンパンマン」ときたら最後の音は「ン」なのでゲームオーバーのはず。

しかし娘さんは、ゴネてるわけでもなんでもなく「アンパンマン」の「マン」が最後の音だと思っているようなのです。まさに、音節単位で「尻」をとり、その取り出した音節「マン」を次の言葉につなげていることがわかります。

これと共通した、ただ少し違ったパターンが窪薗（2000）の四歳児の調査から報告されています。

ぶどう→ドラえもん→ももたろう

これも、大人の感覚からしたらナゾです。実際は「ぶどう」の最後の「どう」は「お」を長く伸ばしているので、音に忠実にいって「お」になるならわかりますが、「ぶどう」に続けて「ど」で始める大人はいないでしょう。

また、「アンパンマン」と同じく「どらえもん」と言おうものなら即ゲームオーバしてるはずですが、これを受けて「も」で始めるというのはこれまた無理があるパターン。引き続き窪薗（2000）にはさらにこんな例も。

せんせい→せなか
ネクタイ→たんぽぽ

もし私がこのような様子を目にしたら、四歳児だからしりとりのルール自体をはなっから理解していないのだと判断すると思います。

しかし、これはあながちでたらめな答えではありません。もしこれらを音節で区切ったら、最後の音節は以下のようになり、上記の珍回答については、その音節の最初の音（子音＋最初の母音）については一致していることがわかります。

ぶどう→budoo
ドラえもん→doraemon
ももたろう→momotaroo
せんせい→sensei
ネクタイ→nekutai

どうやら、ここで登場する子どものなかでは、「ん」が独立したモーラとして働いていないようです。結果として相手が言った言葉の「お尻」を切り出すときは音節単位で取り出し、自分が次の語を発する際にはモーラ単位で「お尻における頭」を切り出しています。

さらにこのようなエピソードも。息子が四歳のころ、「ボクにも字が読める」と主張し、お気に入り絵本のタイトル「みんなうんち」を読んでみせてくれたのですが、「みんなうんち」という文字列の最初の「み」を指して「みん」と始めたものですから、そこから一文字すでにズレてしまい、次は「ん」の文字を指して「な」と読み上げることになるのですが、さらに次の文字「な」を指して「うん」と読むせいで最後にだいぶ文字が余ってしまい「激おこ」する様子がたいそう可愛かったものです。「あいうえおうさま」も同様に「あい」にまとめて一文字、で始めたせいでまたずれて最後に激怒、という。

これは、子どもはどうやら音のつながりを区切るときに、日本語ならではのモーラ（拍）のかわりに音節を使っていることを示しています。日本語のモーラという単位は、やはり後天的に、ある程度時間をかけて習得されていくものなのですね。

そして、小学校入学前後に至って、日本語の（原則）モーラ単位表記であるかな文字の学習がそれに加速をかけていくのでしょう。

第六章

なぜ会話が通じるのか
――語用論

†「語用論」ってなんだ

小三国語の授業教材。我が子のすがすがしい解答をご覧ください（6―1）。

さあこれ、マル？　バツ？

マルをあげる根拠としては、この質問はあくまで「ありましたか？」と訊いている以上「はい（ありました）」か「いいえ（ありませんでした）」で答えればいいから。そのとおりです。でもこれではマルはもらえなそう……って、きっとほとんどの方が思っているでしょう。

「この答えじゃダメ」と判断する理由があるとすれば、出題者の知りたいことに答えていないから、ってことですかねえ。ここでは「いいな」「分かりやすいな」と思った箇所を挙げなさいって言われてんのに決まってるでしょ？　ってたしかに言いたくなりますね。だけど設問には「あったらそれを挙げなさい」とは一切書かれてないですよね。言葉にされていないのに、どうして出題者の意図が伝わると我々は期待できるのでしょう。

この手の話題でよく引き合いにだされるのが京都人の「ぶぶ漬けでもあがっていかはりますか（そろそろ帰ってくれ、の意味とされる）」だったり「考えときます（却下の意）」です。カドが立ちそうな直接表現をせずとも、その意図するところが伝わる、いわば言葉の知恵だといわれています。

このように、言語表現どおりの意味だけでなく、それを使う話し手・聞き手との関係や文脈、その場の状況などの情報から総合的に「意図されている意味」を割り出すのは言語学でいう「語用論」の範疇《はんちゅう》です。

人間の会話において、話し手と聞き手の間には、つねに一定の了解事項があり、聞き手と話し手がそれを共有していることにより、必ずしも言葉どおりに表現されていない内容のやりとりが可能なのです。その了解事項が語用論的知識というわけです。

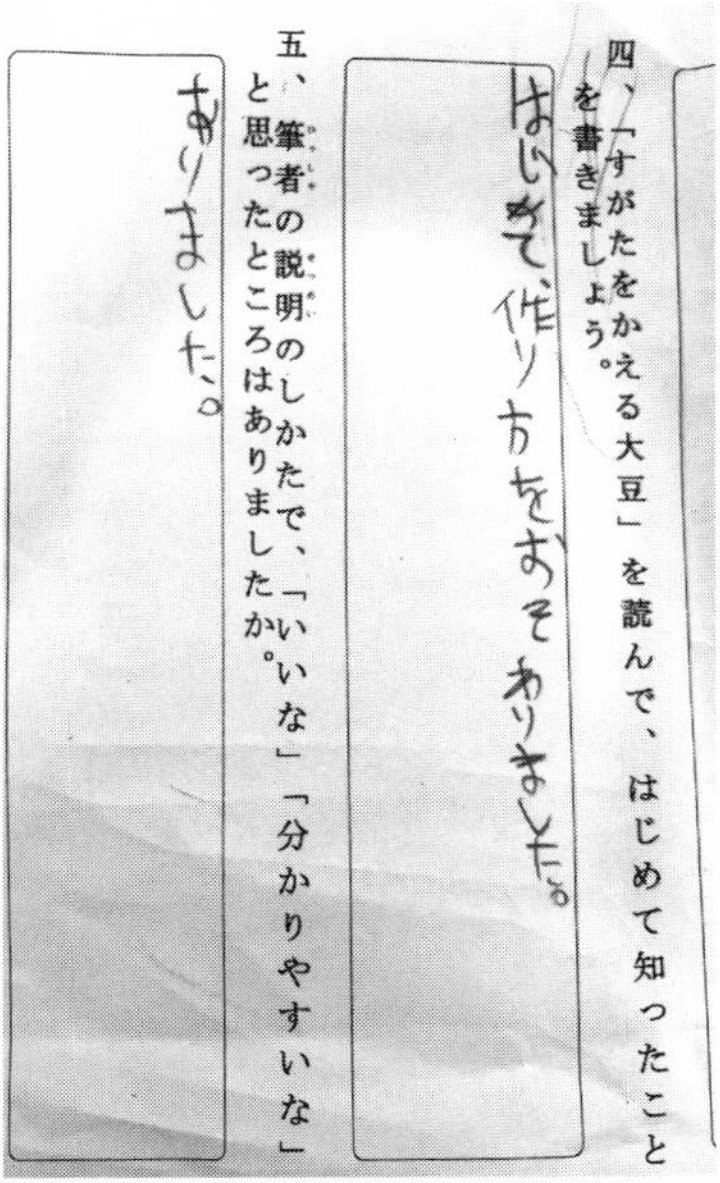
四、「すがたをかえる大豆」を読んで、はじめて知ったことを書きましょう。
はじめて作り方をおそわりました。
五、筆者の説明のしかたで、「いいな」「分かりやすいな」と思ったところはありましたか。
ありました。

6-1

†文字通りじゃないよ、のサイン

語用論入門で必ず言及される哲学者・言語学者であるポール・グライスの「会話の公理」にその「了解事項」がまとめられています。

と、初めてこれを見る人にはよく誤解されるのですが、これは「よりよいスピーチをするためのアドバイス」的なものではありません。そうでなく、「人間の会話には、お互いが、会話の目的に合った妥当な発言を続けることで話を前にすすめてゆくという共通理解があるのだ」という趣旨の約束（協調原理）の具体的な実現のされ方を整理したものだと考えてください。

逆に言えば、ここに挙げたような公理、つまり了解事項に一見違反した表現がされた場合、それは言葉通りの意味でないサインとして機能するというわけです。

会話の公理

量（Quantity）の公理：求められているだけの情報を持つ発話をせよ。求められている以上に情報を持つ発話をするな。

質（Quality）の公理：偽であると信じていることを言うな。十分な証拠を欠いていることを言うな。

関係（Relation）の公理：関連性を持て。

様態（Manner）の公理：曖昧な表現を避けよ。多義的になることを避けよ。簡潔たれ。順序立てよ。

これらの「了解事項」に一見反した表現は、むしろ多くのことを伝えることができます。そう、実際には表現されていないことまで。以下に例をあげてみましょう。

まず、就職活動中の学生の推薦状に、サークルやコンパの幹事としての活躍ぶりばかり褒めてあったら、一言もけなさずとも、成績は褒めるところないんだなと伝わります。読み手の興味としては学業にあるに決まっているのに、あえて「関係の公理」に違反してみせることにより、聞き手が言葉以上の情報を勝手に見いだしてくれるというわけです。

毎日寝坊して人に迷惑ばかりかけていることを誰もが知っている相手を指して「早起きで有名」と言えばたちまち嫌味として成り立ちますが、これは質の公理（偽であると信じていることを言うな）に反することにより皮肉としての意味合いが発信できるからです。

テレビアニメやドラマで、「お前がやったんだな？」と問い詰められた相手が「だとしたらどうする？」って答えるだけでなぜ認めたことになるのか、子どもの頃とても不思議でしたが（言葉通りにとったら、肯定も否定も成立していない）、これは「様態の公理」（YESかNOかで訊かれているのがわかってるのに「だったらどうする」は普通に考えたらかみ合っていないが、それでも成り立っているのだとしたら？）のおかげなんですね。

ですが、こうした複雑な推論を子どもが身につけるのは、語彙や文法の知識を得てまずはひととおりの「言葉通りの解釈」ができるようになってから、そのだいぶん先のこと。だいたい六〜七歳くらいだと言われていますがこのあたりは大きな個人差があり、大人になっても苦手なままの人もいますね。私なんかは、「たいへん困惑しております」は意訳すると「ふざけるな」なんじゃないかなと気づいたの、かなり最近です。

†言葉通りの意味と語用論的な意味

さて冒頭の国語の問題に戻りますが、「筆者の説明のしかたで、「いいな」「分かりやすいな」と思ったところはありましたか」という表現は、あくまで言葉通りに解釈すれば「はい、いいえ疑問文」だったわけです。

なのに、なぜそれ以上の情報を求めるものとして解答者にちゃんと伝わるのか、という問いも、「言葉通りの意味」と「語用論的な意味」が異なるというところに答えを見つけられるわけです。ある程度人生経験を積めば。

まず、「そもそもなんでこんなことをきかれるのか。これって、文章の内容や表現技術をどれだけ理解しているかが問われているということだな」ということに(小三ともなって)いいかげん気づける子は、「そのために「はい」か「いいえ」だけきいても仕方ない、それだけきいてるワケがない」と、おそらくここでは関係の公理のもとに、推論することになります。大人からするとアタリマエだろとしか思えないことでも、それは一定の経験と語用論的知識を必要とすることなのです。

さらにいえば、解答欄の大きさも立派に「その場の状況」から得られる情報ともいえます。解答欄の大きさが、量の公理でいう「求められているだけの情報」を見積もるのに参考になる、という知見もある程度人生経験(試験の経験)によって培われる部分が大きいでしょう。

解答欄に書かれた「ありました」という解答は、あくまで設問の言葉通りの意味に忠実な答えなのか、はたまたそれを逆手にとった「説明するの面倒だから、これでも文句ないはずだろ（語用論的な答えはわかっているけど、字義通りの答えでも間違いとは言えないところまで読んでいる）」という確信犯的横着なのか……このあたりの年齢では、同じ集団の中にも、語用論的意味が「読めてない」「読めてる」「読めてないフリ」といろんなパターンが混在してきっと先生を悩ませていることでしょう。

そして「読めてない」派の子たちも、やがて、「「ありました」だけじゃなくて、それはどういうことか書いて説明してね」とか教えられるうちに、徐々に「語用論的な意味」の理解を学んでいくのでしょう。最近は、大学入試の数学の問題でも、あえて明示的に問われていない思考過程を説明してみせることが常識だそうですね。

†2は3に含まれる？

同じく息子が小学校三年生のときの授業参観。二等辺三角形は「二つの辺の長さが同じ三角形」、正三角形は「三つの辺の長さがみんな同じ三角形」という説明を受けています。その後、子どもたちに実際に三角形の絵を見せて、なんという三角形か答えさせていくのですが、正三角形を「二等辺三角形」と答えた子がいまして。

その場では正解は正三角形だというふうに先生に修正されたので、それを見ていた自分としては教室のうしろですごくツッコミ入れたかったのですが、ここでオカン悪目立ちしたらアカンと思って我慢しました。でも……三辺の長さ同じだったらそのうち二辺の長さも同じですよね？　みなさんはどう思われますか？　正三角形は二等辺三角形？

ＹＥＳと答えたあなたは、論理的・数学的なご見解。3は2を含むのだから、当然です。三人来たってことは二人来てることも自動的に意味します。本を三冊読んだなら、間違いなく二冊読んだことも意味します。なのに正三角形が二等辺三角形でないと言うと、明らかに論理的な矛盾が生じるじゃないですか？

じゃあ、ＮＯと答える人は？「たしかに理屈ではＹＥＳかもしれないけど、正三角形を指して「二等辺三角形」とは普通言わないでしょ」という声がきこえてきそうです。これが、語用論的解釈です。

さきほど、ポール・グライスの「会話の公理」をご紹介しました。なかでも「言語をつかってコミュニケーションする人間は、求められているだけの情報を持つ発話をする。求められている以上に情報を持つ発話はしないものである（これに反する場合は言葉通りでない意図が隠されていると思ってよい）」、というのが「量の公理」です。

それでいうと、本当は三辺とも等しいのに、わざわざ「二辺が」等しい三角形である、と表現するのは会話の公理（量の公理）に反することになります。この三角形が正三角形であることをどうしても隠したい理由があるならうなずけますが、そうでないなら、普通にヘンですよね。「この状況でこういう言い方を選択するのは妥当かどうか」という観点から話者の意図を考えるのが語用論です。

特に、ある量がある量を内包するかという問題については、我々言語の使い手は、「大小の程度の違いを表す表現において、ある量を示す表現を選んだ場合、それより大きな量の存在は、言葉の使い方の常識に反する」と判断するようになっています。これは尺度含意（scalar implicature）といわれます。

つまり、「二つの辺が等しい」と言うからには「三つまたはそれ以上の数の辺について成り立ってはならない」という解釈上の制約として働くということになります。こう考えると、ある言語表現において、言葉通りの、理屈的な解釈と、経験に基づく常識を当てはめた解釈の間に隔たりがありうることがよくわかります。

†象のなかには哺乳類であるものもいる……マルかバツか？

類例を続けます。「象のなかには哺乳類であるものもいる」って言われたらどう思われますか。その内容以前になんか日本語自体が不自然な文型だなと思う方は英語バージョンSome elephants are mammals. で考えてくださってもけっこうです。大学の一般教養の授業でこの文の解釈についてアンケートをとってみたらこのような反応でした（6－2）。

some という表現は、まったくゼロ（none）からすべて（all）までの（ゼロとすべては含まない）間のどこかの大小の程度を表す表現ですので（まあニュアンスとしては半数未満という印象）、さきほどの尺度含意（Scalar Implicature）が関係してきます。なので some といわれたら「つまり all ではない」という解釈もいっしょについてくるといえるでしょう。

したがって、象はどんな象でも象という時点で哺乳類に決まってるのに some で表現されると、「哺乳類じゃない象もいると言いたいのか？」という、実際には表現されていない情報を読み取って「へんでしょ」と反応する人が八六パーセントいたということになります。この人たちは、正三角形をつかまえて二等辺三角形と呼ぶことはきっとないでしょう。

一方、「そらそうでしょ」と答えた一四パーセントの人の言い分と

Some elephants are mammals. って言われたらどう思います？

そらそうでしょ	(30) 14%
へんでしょ	(180) 86%

6-2

しては、世界の象すべてが哺乳類であるなら、その中の一部に対して哺乳類だと宣言して理屈的におかしいわけはないということで、確かにsomeはallの一部である以上実は理にかなっています。論理的に（集合論的に）いうとsomeの意味に忠実な解釈として、

象でありなおかつ哺乳類であるような生物が存在する

としかいっていないわけで、それに続けて「ちなみに実はすべての象は哺乳類でした」と言われたからといって矛盾はしません。

でも普通に言語を使いこなしている我々の多くはそれには強烈に違和感を感じると思います。わたしたちはつまり、尺度含意（Scalar Implicature）を踏まえた語用論的な機能として、

「象でありなおかつ哺乳類であるような生物が存在する」「そしてこの表現においては、全ての象は哺乳類である、という解釈は認めない」（傍線部は表現には直接含まれていないが、そこも込みで相手に伝わる）

という計算を身に付けているのです。そういうわけで、ここでも、言葉通りの理屈的な解釈と、経験に基づく常識を当てはめた解釈の間に隔たりがありうることがよくわかります。

そしてここにはお勉強が遅れていても語用論だけ得意な小学生が。

一〇〇点取った子も何人かいたけどね（あんた以外全員一〇〇点やん！）

†言葉の上級者コースへようこそ

このように、私たちは、実際には言葉にしてはいない内容を相手に伝えたり、さらに、解釈の余地が複数ある状況で相手の意図にあう意味を（うまく？　うまくなくても？）推測したりといった高度なコミュニケーションを行っています。

それは、直接的な表現よりもいっそう洗練され、なおかつ便利な情報伝達のあり方だと考えることもできますが、いわゆる空気を読めないタイプの人間にとっては、自分だけ意図された情報を読み取れなかったり、あるいは自分の表現が「別にそこまで意図してません」というような意味を相手に伝えてしまったり、京都人が本当に客人にぶぶ漬けを食べてほしいと思ったときなど、語用論なんてなければいいのにと思うこともあるかもしれません。

そうしたリスクやデメリットもないわけでもないのになぜ、どういうときに、どういう動機で語用論的な表現が選ばれ使われるのか、というさらにすすんだ議論までは本章では十分触れられませんでしたが、最近では例えば時本真吾『あいまいな会話はなぜ成立するのか』、和泉悠『悪い言語哲学入門』に詳しいです。

我々はどうやら、小学生にあがる年齢あたりから、文字通りでない、状況や文脈から期待されている解釈をすることを学んでいくといわれています。同じくこのころ発達する「相手ならどう考えるか」「相手はどんな前提を持っているか」という、他者の視点を推し量る能力と連動しているようです。

学校で「筆者の説明のしかたで、「いいな」「分かりやすいな」と思ったところはありましたか」との問いに「ありました」とだけ答えた結果、先生に「そうじゃなくて、どういうところにそう思ったかを説明してほしいんだよ」と注意されれば、「え、相手にしてみたらそういうことが知りたいということか。何かあったか否か以上のことを訊かれているのか」ということを学んでいくことになるのでしょう。

うちの息子はそこでは学んだのか学ばなかったのかよくわかりませんが、小六になった先日は同様の設問（心に残ったことはありましたか、的な）に「ありませんでした」と答えていました（嗚呼……）。

一方、「someといったらallではない」という尺度含意については、比較的小さいころから順調に使いこなしているな、と思うことがあって、

ドリルの［1］と［2］を終わらせなさい

と指示した瞬間［3］はやらなくていいという解釈を即座に成立させていたことが例として挙げられます。「都合の悪いことはできるだけ少なく済ませたい」という動機は、小学生の言語の能力をかくも強力に推し進める力があるのですね。

ただ不思議なのは、「ゲーム機の所有」などの物欲が絡んだ案件に限っては、「someといったらallである」「だからクラスで二〜三人しか持ってなくてもそれは「みんな」と言う」という、論理的にも語用論的にもありえない特殊な計算が要求されることです。

みんな買ってもらってるよ（みんなって誰〜！）

第七章

頭の中の辞書をひく
――メンタル・レキシコン

小学校入学時からの、漢字テスト珍解答がたまりにたまってすごいことになっています。こちら二年生のときのです（左頁7－1）。ほとんど正解してないじゃん！

爆笑解答を並べるだけでたちまち紙面が埋まってしまいそうなので、山ほどあるのの すべてをご紹介できないのが残念です。六年生になった現在でも続々と生み出されているのですが。

そこで、ここはひとつ、膨大な数のなかから選んだいくつかの事例をきっかけに、人間の頭の中で「文字」「単語」といったデータがどのように整理され、必要に応じてどのように検索されるのかに思いをめぐらせてみましょう。

第二章では、同じく漢字ドリルの珍解答をとおして、子供にとって文字というものがどのように認識・記憶されているかについて考えました。一方この章では、漢字をとっかかりとしつつも、文字を書くプロセスそのものについては直接触れません。そのかわり、文字という単位に限らない、私たちの頭のなかの国語辞典（単語知識の集合）について考えてみようと思います（漢字珍プレーは、なので、まあ、「ツカミ」と思っていただければ）。

†メンタル・レキシコンの検索

私たち人間ひとりひとりがもっている、それぞれ個人が習得し記憶した語の知識のことをメンタル・レキシコン（心的辞書）といいます。収蔵語数は個人によって大きく異なることでしょうし、そんなの確かめるにしても数えようがありませんが、成人の母語における語彙サイズはざっと数万語と推定されています。

私たちは普段、自分の知っている語をほぼ自由自在に駆使してコミュニケーションを行っていますが、考えてみればこのためには、文を読んだり他人の発言を聞いたりする際にも、また自ら発信する際にも、自らの頭の中の辞書、つまりメンタル・レキシコンからその都度必要な語を検索していることになります。それは我々が、自分たちにとって理解があやふやな語だけとか、読み方に自信がない特定の語について、紙の辞書や電子辞書を意識的に調べるときに行う一連の過程とは、かなり異なる作業であるはずです。

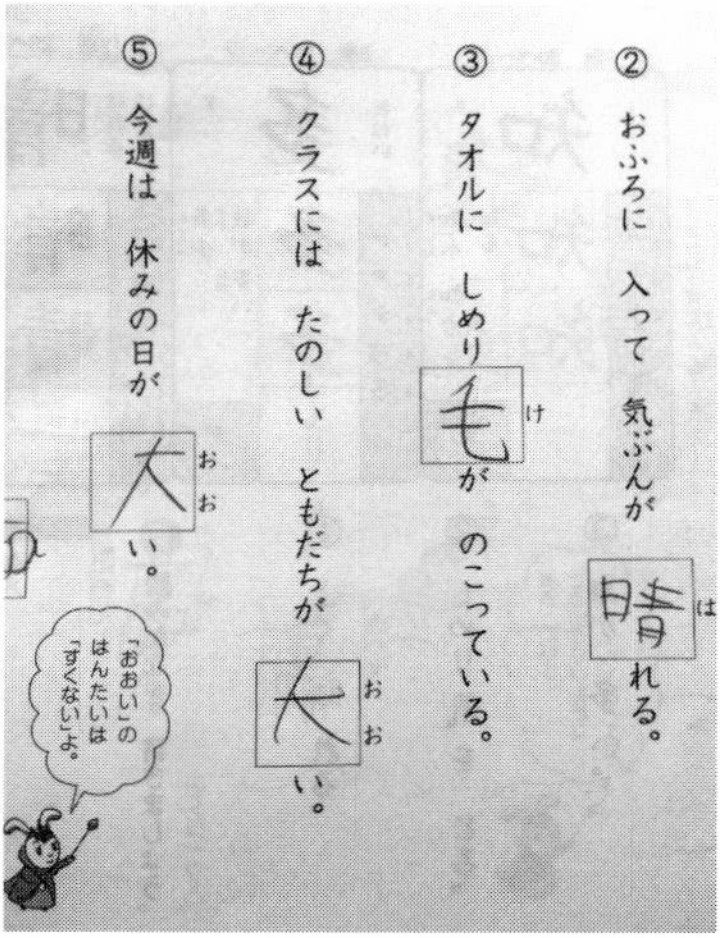
② おふろに 入って 気ぶんが 晴《は》れる。
③ タオルに しめり 毛《け》が のこっている。
④ クラスには たのしい ともだちが 大《おお》い。
⑤ 今週は 休みの日が 大《おお》い。
「おおい」の はんたいは 「すくない」よ。

7-1

メンタル・レキシコンと、私たちが実生活で使う国語辞典（つまり巷で使われている意味での辞書）は、ある言語の単語情報が整理されたものという意味では共通点もあります。ある語が、どんな意味で、どんな発音（音形）をとり、文の中でどんな文法的位置づけとなれるか（品詞情報）などの情報がそこには含まれていますよね。

一方、根本的に異なる点として、国語辞典は、持ち主が知らない語も多く入っていて、というかむしろ通常は自分がよく知らない語について調べるときに役立つのだということ。逆にメンタル・レキシコンには、持ち主が知っている語のレパートリーしか入っていません（そりゃそうだ）。

また、国語辞典の中の語は五〇音順に並んでいて、よく使う語も、めったに使われない語も扱いは同じです。誰が検索するのかというと私たち自身がある目的を持って意識的に検索するわけで、そうなると決まった並び方をしていないと検索のしようがないですものね。それに対して、メンタル・レキシコンの検索は我々が意識して行うことではなく、言語使用のプロセスの一環として脳内で無意識・自動的に行われることです。そして我々の記憶の中の語彙は、五〇音順という手がかりでなければ、どのような情報を使って検索がなされるのでしょうか。

†意味のネットワーク

漢字の書き間違いはあくまで「意味つながり」という話をするためのマクラなので、ここから先は漢字の間違いそのものについてではなく、私たちの頭の中に格納されている語に付随する意味情報の使われ方の話となります。

さて実際私たちが、たとえば「文」という単語を含む発言をしようと頭の中で準備しているとします。その準備過程では、自分の表したいメッセージを言葉で表現するのに必要な単語を、自分のメンタル・レキシコン内で検索するという作業も関わってくるわけですが、そこではターゲットの「文」という単語だけでなく、一緒に「字」とか「書」などの意味的に関連ある他の単語たちもスタンバイしてしまってて、ともすればうっかりそちらのほうが出てきてしまうことがあるのです。

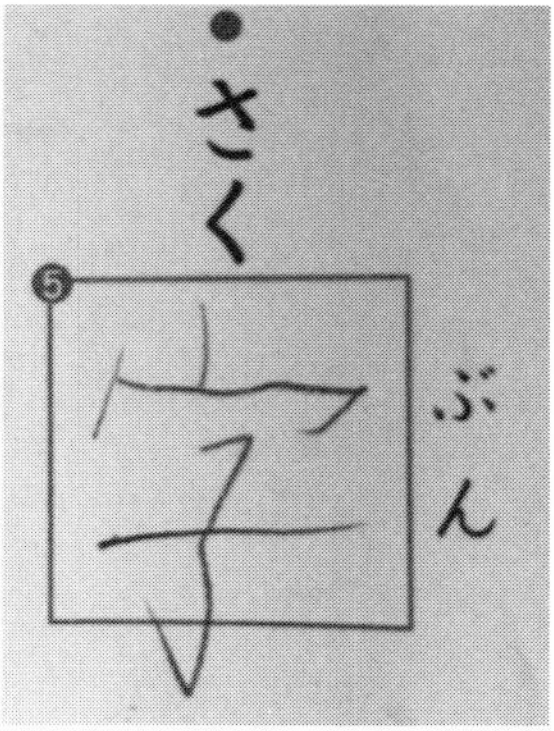

7-2 「文」と書こうとしたところどうして「字」と書いてしまったのか……（「文」のほうが簡単ちゃう？）

あるいは、誰かが「文」という語を含

む発言をしたとして、それを聞いたあなたが頭の中で、いま耳で聞いた情報のなかにはどんな単語が入っていたのかを特定するプロセスにおいても、実際に聞いた音声の情報をもとに自分のメンタル・レキシコン内に入っているはずの「文」という項目を検索していることになりますが、そこではターゲットと意味的に共通点を持つ「字」とか「句」とかの語はどういう影響を持つのでしょうか。

†意味つながりが検索を速める

メンタル・レキシコンに収蔵されている語情報は、発音や文法的な情報（名詞だとか動詞だとか）のほかに、というか最も肝心と言っていいと思いますが、意味概念と結びついています。たとえば「りんご」という語に対して結びついている概念イメージの姿そのものは人によって異なるとは思いますが、ああいう色のああいう形で、それは果物の一種で、そういえばアダムとイブの物語にも出てくるなあ、などの概念的な情報との関係が「りんご」という語の知識の一部をなしています。

そしてそうした「概念との結びつき」が、その語のさらにそのあとの検索プロセスにも関わることがわかっています。その裏付けを、「プライミング効果」という現象に求めることができます。

ある語、例えば「医者」という語を頭の中で検索するための時間を計測することが仮に技術的に可能だとします。といっても人間は頭の中の知識を意識的に「検索」するわけではないので、例えば「医者」という表記を見て、それが自分の知っている単語であるという判断ができるまでの時間を早押し課題のような方法で計測するというような方法で、語の認識（検索→特定）速度を推定します（語彙判断課題といいます）。

そうすると、「医者」という語の判断（反応）時間は、その直前に「看護師」というような意味的に関連する語を提示されたあとでは、「調理師」のような無関連な語を同じく直前に提示された場合と比べて速くなることが知られています。

調理師→医者　（「医者」の語彙判断時間がより遅い）
看護師→医者　（「医者」の語彙判断時間がより速い）

最初に「看護師」という語にアクセスした結果として、「医者」に関係する意味概念全体も一時的に記憶に新しくなり、しばらくの間だけその状態が続きます。その結果、その

####　(1000ミリ秒)
↓
病人　(50ミリ秒)
↓
####　(500ミリ秒)
↓
医者　(語彙判断。キー押しまでの時間を計測)

7-3　被験者は、####という表示の後に「医者」という語が提示されたとしか意識しない。「病人」という語が提示されたことには、あまりにも一瞬すぎて気づかないが、脳はしっかり認識している

概念に意味的に関連する他の単語の検索までもスムーズにすすみやすい状態になって、それらの語の認識速度が速まることを、心理言語学では「意味プライミング」と呼んでいます。

感覚としては「そういうことあるかも」と思いつつも、「でも、そういう実験課題に慣れてくるにしたがって、この実験では意味つながりの連続がちょくちょく登場するというパターンに気づいて、その流れを学習しちゃったんじゃないか（だからスピードアップできたのかも）」という感想を持たれるかもしれませんが、このプライミング効果とは、直前に提示する語の長さがほんの一〇〇〇分の数十ミリ秒、つまり、なにかしらの語を見た、ということに人間が気づくことすらできないほどのごく短い時間しか提示されない場合にでも観察されるものなのです。

実際に実験で用いられる手続きの例が7―3です。

テレビ番組などで、内容に無関係な、例えばフライドポテ

トの画像を、人間がそれを見たと意識できないほどの短時間提示したあと、視聴者は理由はわからないけどポテトが食べたくなるという、サブリミナル広告などでもよく知られるあの効果を思い出していただけるのではないでしょうか。こうしたプライミング実験の手法は、masked（隠された）priming と呼ばれます。人間の脳は無意識のうちにいろんな仕事をしているのですね。

†意味情報で混乱

一方、意味情報が逆に混乱をきたすという現象もあります。例えば文字が上に書かれた絵を提示して「この絵は何の絵か言ってみて」という課題を行ったとします（被験者は英語話者を想定してください）。そこには正解とは異なる単語が書かれています。

ここではMeyer（1996）の研究（オランダ語の実験ですが、英語になおして説明します）を紹介したSedivy（2020）の例にならいますが、たとえば次頁の7－4のように、犬の絵にBED、またはDOLL、またはCATという語が書かれている図を想像してください。絵は間違いなく犬のイラストなので、dog と答えるのが正解なのです。7－4に示した組み合わせのなかで、正しく答えるまでの時間が最もかかるのはどれだと思いますか？

7-4

実は、意味的に一番関連がありそうなＣＡＴと書かれているような場合が最も時間がかかるのです（これもミリ秒単位の小さい差ですが）。まず頭の中に、絵をとおして得られた概念が先にあって、それに対応する語をメンタル・レキシコンで検索して正しい答えを発音する過程で、意味的に関連するライバル候補が邪魔してしまうことがうかがえます。

このように、あるモノや概念を表す画像について答えさせる際に、それと一致しない内容の語を提示する実験方法を絵・単語干渉課題（Picture-Word Interference）といい、こうした語のもたらす情報が人間の意志に関係なく干渉を起こすことを多くの研究が示しています。

同様の例として、赤い文字で印刷された「青」といった、実際の文字色とその文字の意味する色名が一致しないものを見せて「文字の（実際の）色を答えなさい」というと、色名を表す文字を使わなかった場合にくらべて反応が遅くなるという、ストループ効果（Stroop effect）もよく知られています（白黒印刷ではうまく表現できないので実例は割愛しますが、お手元のカラーペンを使って、インクの色に一致した字としない字を書いてみるなどすればイメージしやすいと思います）。

ただし面白いことに、その後の研究（Finkbeiner & Caramazza, 2006）では、絵・単語干渉課題において干渉する情報（この場合は文字で書かれた単語）を、この図のように絵と同時に認識できる形ではなく、被験者の意識にまではのぼらないような形でサブリミナルに提示すると（先ほどの masked と呼ばれる操作）、逆に絵に対する反応（描かれているものを答える）が速くなることも報告されています。

なので、人間がメンタル・レキシコンを検索して、目的の語を発音するまでのどの段階でどんな情報がどんな形で干渉のもとになるのか、という問題は考えれば考えるほど複雑であることがうかがえます。

ちなみにここで紹介した「この絵（犬）は何の絵か言ってみて」という課題の例、BEDと書かれた犬とDOLLと書かれた犬では、どちらも「書かれた単語の意味は無関係」という点では共通していますが、この両者は何らかの違いを生むのか……については続きをごらんください。

†音つながり「ご近所さん」の競争

珍解答、続きます。左頁、「早く」が「はや」つながりで「林」になってます（7－5）。意味の関連は、どうみてもありません。「はや」の音だけで呼び出された「林」も困惑しているに違いありません。

「死会者」に至っては不覚にもお茶を吹いてしまいましたが（7－6）、これもかろうじて音つながりでしょうか。意味のワケはないことを祈ります。

今度はこれらの「音つながり」漢字珍プレーをきっかけに、メンタル・レキシコンの検索における「音」情報のあり方について考えてみましょう。つまり私たちが普段行っている、ことばを聞いて理解する過程で、受け取った音声情報をもとに、そこに登場する単語を認識する過程です。

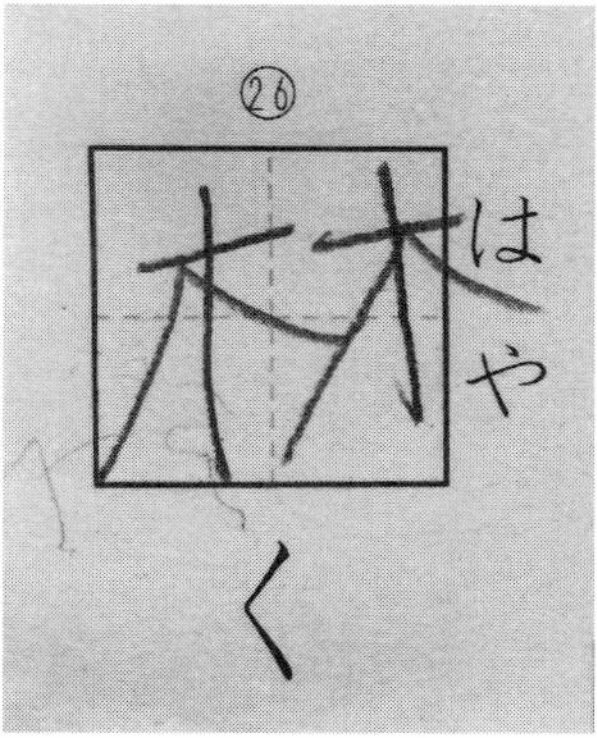

7-5

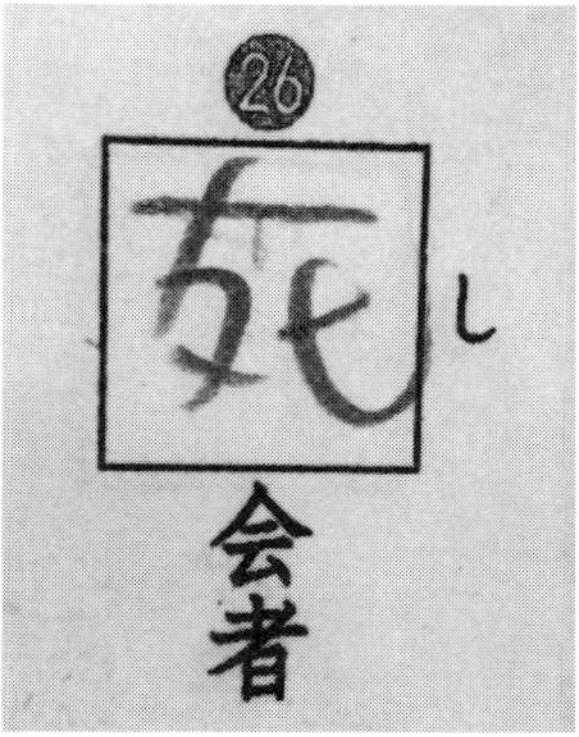

7-6

メンタル・レキシコン内の語は、さすがに五○音順に並んでいるわけではないにせよ、音の情報もちゃんと収録されていますし、その音情報を頼りに検索できるようになっています。だって、耳で聞いて理解するのには、音経由で語彙知識にアクセスするしかありませんから。

そうなると、同じ音を持つライバル語がたくさん存在すると、音からの検索も楽ではないことでしょう。これは音を耳から聞く場合でなく、目で読む場合も無関係ではありません。紙の辞書をひくときも、同じ音で始まる語が多いと探すのに時間がかかりますしね。

人間の単語認知研究においては、一音違いの別の語のことを近傍語（neighbors）といいますが、やはりその近傍語の多さが、語彙判断課題この反応時間を遅くする（といってもミリ秒レベルですが）ということがわかっています。これは、入力されている情報から、自分のメンタル・レキシコンにある候補のなかのどの単語なのかを特定するにあたって、音つながりの候補が多いと時間がかかるということです。

もちろん、単語のほかの特徴によっても判断のスピードは変わってくるでしょう。単純にいって長い単語のほうが短い単語より認識に時間がかかりそうですし、よく使われる語と滅多に使われない語（語の出現頻度や、使い手にとっての馴染み度）によっても違うことはすでにわかっています。

でも、同じくらいの長さや頻度を持つ単語同士を比べると、近傍語が多い語と少ない語では、それだけで認識スピードに差があるということだとここでは理解してください。頭の中の辞書内にライバルが少ないと速い、と。

このように、メンタル・レキシコン内で特定の語を検索するときには、音を元にした検索が、いわゆる正解候補同士の競争のような状況を呈しながら素早く自動で行われているのです。

†音つながりのメリット——言いたい語を検索する場合

さてここで先ほどの Picture-Word Interference 課題に登場した三頭の犬の絵を思い出してください。

先に音声の情報を得てからそれが何の語かを探る処理とは逆に、「この絵は何の絵ですか」と聞かれて答える場合は、先に概念があって、それに対応する語を検索することになります。CATと書かれた犬のイラストへの反応は、絵と語の間の意味が部分的に関連しながらも一致しないことにより若干遅れるという結果をさきほどご紹介しました。

ではBEDと書かれた犬とDOLLと書かれた犬ではどうでしょう。

どちらも「書かれた単語の意味は、答え(dog)と無関係」という点では共通していますが、BEDに比べてDOLLのほうは、DOGに対してより音的に似ていて、いやもっというと発音上は最後の子音が違うだけなので([dɔːg]〜[dɔːl])、まさに近傍語同士という関係にあります。

そして、この課題においては近傍語のほうが有利(何の絵かを問われてdogと答えるスピードがアップ)となることが報告されています。先ほど紹介した語彙判断課題と異なり、音つながりが処理を有利にしています。

7-7　さあ、どうする

†概念に対応した語を捜すときと、入力から語を割り出すとき

ここまで、「漢字の間違いネタ」限定の話題から少し（無理矢理）話題を広げて、私たちの頭の中の語彙知識はどのようにリアルタイムで使われるのかを考えてきました。

それは、頭の中にある、我々ひとりひとりの語彙知識を格納したメンタル・レキシコンという辞書がどのように参照・検索されるのか、というしくみのことでした。そこでは、各エントリー語に対して、音に関する情報や、意味に関する情報をはじめとする様々な情報が格納されているのです。

ここでは、とりわけ、音つながり情報と意味つながり情報がどのようにそのしくみに影響を与えるのか。

先に概念があってそれに対応する語を検索する場合と、

先に音声情報が入力されてそこにどのような語が使われていたのかを割り出す目的で検索する場合では、促進や干渉のあり方がそれぞれ異なるというのはとても面白い事実だといえるでしょう。

†正真正銘言い間違いについて

メンタル・レキシコン、つまり頭の中の辞書は、市販の辞書と違って、中身がどのようになっているのかを、持ち主である我々が直接見て知ることはできません。なので、せめてどういう情報をもとに検索することができるのか、その情報は「検索」の場面でどのように影響するのか、それを間接的に推し量るためにいろいろな工夫をこらした心理言語学的実験をご紹介してきました。

そうした工夫が必要なわけは、頭の中の辞書を引く（メンタル・レキシコンにアクセスして情報を検索する）という営みを私たちが普段、常に行い続けているのに、その様子を漫然と外から観察し続けてもほとんど何もわからないからです。

しかし、ごくたまに千載一遇のチャンスで巡り合えるのがこういうやつです。

へやいせま（狭い部屋）
あつはなついから（夏は暑いから）

どちらも私自身が実際に口にした、純正な「言い間違い」です（本当はまだまだあります）。

本書の第一章に、幼児の言った「死むし」は「言い間違い」ではないと書きました。言語習得途上にある子供にとって、日本語の文法を体系的に学習するわけでもないなか、自分が実際にきいたことのあるヒントを使い一般化を重ねて試行錯誤するなかでの暫定的正解（候補）が「死む」だったり「きない（来ない）」だったりするのだ、と。

一方、母語の知識が一旦完成したあとに、本来発すべき正しい形はわかっているのになぜかそれでないものを実際に発話で出力してしまった、というのが「へやいせま」には当てはまります。その「純正言い間違い」の数々に目を向ければ、メンタル・レキシコンのしくみ、つまり私たちが身につけた各語についての知識や、それらを統括する知識がどう整理され、どう使われのか、そして言葉を使う現場では他にどのような情報を動員しているのかなどについてたくさんの情報を得ることができます。

こうした、言い間違いの言語学的な分析には何十年もの歴史がありますが、日本語のそれについては、寺尾（2002）、その書名もズバリ『言い間違いはどうして起こる？』にとても詳しく説明されています。ここでは以下、寺尾（2002）で扱われている事例と私自身の言い間違いメモから主にご紹介します。というわけで本章この先は、小学生よりももっと大きなお友達のデータが中心となります（半分以上はオカン）。

言い間違いのパターンとして典型的なものに数えられるのが、その箇所よりもっとあとで発話される予定の部分の情報が誤って早く出てきてしまった、というものです。「あつはなついから」では「夏」の「な」と、「暑い」の「あ」が入れ替わる形で、本来あとで出てくる「あ」がそれより前の「な」の場所に出現しています。「へやいせま」も同様ですね。

一方、以下に引用した、「センターによじ登った……」の例では、本来そのあとに発話される予定だった「センター」が、より前の部分（本来「フェンス」というべきところ）に上書きコピーされているようです（寺尾（2002））。

あつはなついから（夏は暑いから）

センターによじ登ったセンターの広田（フェンスによじ登ったセンターの広田）

これらの例が教えてくれることのひとつとして、人間が頭の中で伝えたい内容を言語化するために必要な語をメンタル・レキシコンで検索する際、かなりあとのほうまで先取りして検索作業は進んでいるのだということです。

つまり「フェンスによじ登ったセンターの広田」という内容を言語化する過程では、「フェンス」と言おうとする時点で、少なくとも「センターの広田」の「センター」の検索および目標語の確定まで及んでいたことがうかがえます。

†言い間違いの単位

言い間違いが教えてくれるもうひとつの重要な点として、メンタル・レキシコンに格納されているそれぞれの語の音的情報の整理にはどのような単位が使われているか、どのような音的単位での検索が可能かということです。

「センター」vs.「フェンス」の場合は音的な単位に分けるというよりは単語まるごとが先取り現象の単位となっていますが、例えば「へやいせま」では「へ」と「せ」という拍

（モーラ）が入れ替わった、もしくは（ここでは母音が共通しているので）「h」「s」という子音同士が入れ替わったという可能性が考えられます。

こうした「子音が入れ替わっているのか拍が入れ替わっているのかまでは特定困難だけど、とにかくそのどちらかの単位の入れ替わりである」というケースが成人の言い間違いには多数見られますが、以下のように「拍単位ではなく子音単位で確実に入れ替わっている」も存在します。

けんたくさご（洗濯かご。寺尾（2002））

この例では、モーラ単位（「せんたく」の「せ」と「かご」の「か」）で入れ替わって「かんたくせご」となっているのではなく、子音のみ、つまりkとsだけが入れ替わることによって生じています。「せ」と「か」に含まれる母音が共通していないのでそのような特定が可能なのです。

第五章でも述べたとおり、音の連続を区切るのに拍という単位を用いるというのは日本語の母語習得の過程で徐々に身に付けていくことですので、こうした「確実に子音のみが入れ替わっている」というのはむしろ成人より、言語発達途上にある子供のほうに見つけやすいのかもしれません。なお、このような珍しい例も紹介されています(フジテレビ『LOVE LOVE あいしてる』一九九八年一月三一日放送)。

まごっちょ……(堂本光一くんがテレビ番組の中で「魔女っ子メグ」といいかけて間違う)

「じょ」dʒo と「こ」ko がそれぞれ「ご」go と「ちょ」tʃo に入れ替わっていて、「じょ」と「ちょ」の関係はちょっと複雑なのでわかりにくいのですが、これは口のなかで発音に使う位置に関する特徴だけが入れ替わった例と見ることができます。

実際に発音してみると実感しやすいと思いますが、「こ」「ご」の子音部分は口の中ののどに近い部分(軟口蓋音)を使う音で、「ちょ」「じょ」は上歯茎の裏あたりを使う音(後部歯茎音)です(現代のかな使いで書くとこの共通点がわかりにくくなりますが)。これは、個々の子音よりもさらに小さい単位(調音位置)という特徴での入れ替わりが起き得ることを示しています。では次の例はどうでしょう。

てま、へやにとめてもらおう（部屋にとめてもらおう、と言おうとしていいなおしている。寺尾（2002））

「てま、へやに……」（「部屋」を言い間違う人多いのかな）では、あとにでてくる「とめて」の子音 t-m の部分のみが、「へや」を構成する母音部分のひな形 -e-a は保存しつつ、その子音部分 h-y にとってかわったという例（思わず「てま」と言ってしまって、すぐ言い直している）です。

そうすると、私たちが頭の中で、使いたい語を検索するしくみにおいては、拍ごとという単位だけでなく、その語全体を構成する母音部分のみのひな形（例：「へや」は -e-a からなる）、そしておそらく子音部分のみのひな形（例：「とめて」は -t-m からなる）という単位が存在するということになるのでしょうか。それはちょっと考えにくいというほど複雑になってきましたが、先日自分自身がこれの類似パターン（しかももしかしたら新発見のやつか？）をやっちゃったんでかなりびっくりしました。

というのも、動画サイトで NON STYLE というお笑いコンビの漫才をたまたま観ていたときのこと。

その面白さに感心して思わず「流石、ええテンポやな〜」って言おうとしたんですが、そのネタ名が「ゾンビ」だったからか「流石、ええトンピやな〜」って言ってしまったんです。te-n-po と言うはずのところが、ここでは t-(n-)p という子音のひな形だけを保存して、zo-n-bi の母音のひな形 o-_-i のみ上書きしてしまったということになります。

つまり私が「テンポ」という、もともと意図した語を検索する際に、母音だけのひな形、子音だけのひな形が、干渉したり保存されたりという単位として実在したということになるようなのですが、私自身が普段使っているはずのメンタル・レキシコン、本当はどういう構造をしているのか謎が深まりました。「ええトンピやな〜」事例は即、言い間違い博士・寺尾先生への報告案件となりました。

日本語では、ある語を構成する子音部分だけを取り出してまとめた単位とか、母音部分だけを抜き出した単位が、その語を検索する情報として機能するという感覚は荒唐無稽に感じられるかもしれませんが、例えばアラビア語では、ある語（例：kataba（書く））は子音の部分だけで構成される要素（k-t-b）が「なんという語か」という情報を表し、特にこのなかの最初の二つ k-t というひな形、が語根と呼ばれる、語義を決める本質的な情報とされます。

そして、その文法的機能は母音部分（-a-a）（ここでは能動態を表すことが最初の二つの母音で決まるらしい）や、子音（C）と母音（V）の組み合わせのパターン（ここではCVCVCVで、完了形を示すそう）が担うという特徴を持っています（先に紹介した川原（2022）のなかに、アラビア語のこうした音韻構造上の特徴についてわかりやすい説明があります）。

そしてアラビア語では、この語根を表す二つの子音のひな形（ここではk-t）が一致している語同士では、たとえ異なる母音をその間に伴って異なる語形をとっていてもプライミング効果をもたらすことが示されています（Boudelaa and Marslen-Wilson, 2001）。

語が実際に発音される場合は子音と子音はその都度異なる母音に挟まれるので子音だけを抜き出した形は現実世界では発音されなくても、アラビア語では意味を担う単位としてメンタル・レキシコンの検索における役割が果たされていることがわかります。

そして私の「トンピ」の例も、たとえアラビア語話者でなくても、「コンビ」なかのt-(n-)pという子音のひな形と、o-iという母音のひな形を別々に操作することができないわけではない、というかうっかりできてしまったことを示していたのかもしれません。たしかに同じ人間ですもの。

†アクセントの情報は？

日本語の語彙アクセント情報がメンタル・レキシコンにどのように整理されているのか、検索において役割をどの程度果たしているのかというのも興味深い問題です。

例えば、東京方言の名詞においては、食べるときに使う箸は「はし（高低）」で、川にかかってる橋は「はし（低高）」や、真ん中から遠い部分という意味の端は「はし（低高）」という区別はもうそれぞれの単語ごとに決まっている語彙アクセント情報です（もっと言えば、橋と端の違いは単語単独ではわかりにくいが「はしが（低高低）」「はしが（低高高）」と助詞をつければ違いが浮き彫りになる）。

東京方言以外でも語彙アクセントを区別する方言は多いですが、その詳細はその方言においてまた決まっています。なので、例えば関西弁でも「箸」「橋」「端」は区別しますが、どう発音すれば正解かという答えは東京方言とはまったく異なります。またそもそも単語ごとに決まったアクセントの違いはない、あるいは違いのパターンがもっと少ないという方言だってあります。

少なくとも単語ごとにアクセントの区別がある方言では、メンタル・レキシコンに、自分の使う方言の各単語のアクセントの情報は収録されているでしょう。そのことにたとえ自覚はなくても、実際発音したら正しいアクセントで言えているはずですから。

しかし、誰かの発話を聞いてそれを解釈する過程で単語を検索する際に、厳密にアクセントの情報を使って候補の単語を取捨選択することにしてしまうと、自分自身の方言でない話者の言うことは理解できないことになってしまいます。

たしかに馴染みのない方言で話されて、使う語彙からしてまったく異なるので内容がわからなかったという経験はあるかもしれませんが、よほどドンピシャに橋か箸かというような紛らわしい候補について、どちらでも正解でありえるような文脈で話しているというようなものすごい偶然でもなければ（例：「苦手な食材はありますか？」「牡蠣ですvs.柿です」）、異なる方言の間でじゅうぶん自然に話が通じることも多いでしょう。

そう考えると、メンタル・レキシコン内の検索機能におけるアクセント情報の役割はそう重要なものではないのかもしれない、という推測はできるかもしれません。

そんなある日、故・志村けんさんが主演予定だったある映画の代役を沢田研二さんがつとめることになったというニュースをみて、「へえ、志村けんのかわりに……」とつぶやいた私。しかしそのアクセントは何と、「さわだけん（じ）」というときのそれだったのです。というのも、私の母語である関西方言では「志村けん」の発音はたぶん東京方言と同じでしむらけん（高低低高低）ですが、「沢田研二」は、さわだけんじ（低低低高低低）となります。後者のアクセントを語頭から当てはめて　しむらけん（低低低高低）と発音したところを想像していただければ幸いです。

内容的には「志村けん」を呼び出して来るべき位置に「沢田研二」が来ちゃったこと自体は、文脈的に考えてもそう奇異なことではないでしょうが、その際本来の「志村けん」という人名本体の、どんな子音母音からなるかという情報が維持されつつ、アクセント情報、あるいは実際にどのように聞こえるかという高低ピッチのパターン情報だけが別の人名のそれに入れ替わることができるというのは、心理言語学的にかなり貴重な事例だと思いました。

アクセント面での言い間違いというのは他人の発話を観察して事例収集を試みても、その人の方言は何なのか、そこでは標準語モードなのかお国言葉モードなのかがはっきりわからなければ、そもそも言い間違いと判定していいのかという時点で判断に困るケースが多いでしょう。

そのためか、言い間違い事例の蓄積も豊富ではありません。しかし私のこの「沢田研二のアクセントで志村けん」事例に関しては、確実に純粋なアクセントの言い間違い事例といっていいと思います（話はそれますが、ドリフターズ全盛期に小学生だった、いわばど真ん中世代の私。志村けんさんの訃報に接した悲しみは忘れられません）。

この事例ももちろん、寺尾先生にメール報告したのですが、「あ、これ、メモってあります（笑）」とのことでした（SNSで発信したのをすでにご覧になっていたと……言い間違い博士の情報収集力恐るべし、です）。

†統語や意味

言い間違い例のさらに別のパターンとして、（音韻的には似ていないけど）意味的に類似している別の語と置き換わってしまうケースもたくさん報告されています。小学生のころ「先生」と呼びかけようとして「お母さん」って言ってしまった、って一度は経験もしくは目撃したことがあると思います。

また、言い間違いの結果入れ替わってしまう語と元の語は、たいてい品詞や文の中での文法的役割は保存される（それらがまったく違うものと入れ替わったりはしない）ということもわかっていて、言い間違い現象というのは、私たちの頭の中の辞書の中の情報分類のありかた、およびその検索装置の仕様が、統語（構文）情報や意味制約など、我々が習得済みの広範囲の言語知識全般を反映させたものであることを、こっそりチラ見せしてくれるものなのでした。

＊

人々が生きる世界のそれぞれで使われているあまたの表現、そして語。さながらそれは広い広いことばの海。辞書編集に携わる人たちの仕事を、「舟を編む」ことにたとえた小説がありました。

ことばの海にこぎ出していく私たちひとりひとりの頭のなかでも、自分自身の舟を編む営みが赤ちゃんのころから着々と行われ、その頭のなかでは舟をちゃんと動かすための精巧なしくみがはたらいています。

できれば大きくて、速い舟がいいけど、はじめは小さい舟だって、ちゃんと海をすすんでいくことができるのです。

ことばの海でつながったどんな世界にだってきっとこの舟が連れて行ってくれます。それは時空だって超えることができるのです。この舟の先に、次はどんな景色が待っているでしょうか。

そしてこれ、だれだって、全員もれなく、無料（タダ大好き……）。

あとがき

本書は、「ｗｅｂちくま」に二〇二〇年五月二九日から二〇二一年九月二四日まで、一二回にわたって連載された「宿題の認知科学」の一部をベースに、内容を大幅に追加したものです。

私はかつて『ちいさい言語学者の冒険――子どもに学ぶことばの秘密』という本で、子どもの「コトバの珍プレー（いわゆる「間違い」）」から、私たちが学べるたくさんのことについて書きました。

子どもはいったいどのように言葉を身につけたのか。

これは私たち自身もどのように言葉を身につけたのかという問いに等しいわけですが、私たち自身は思い出すことのできない過程を子どもたちとともに追体験していこうというねらいで、実例の大半は私自身の息子（当時三〜六歳）のものでした。

この息子も小学生となり、成長するにつれ言語習得過程の珍プレーを観察する機会も少なくなって寂しくなるだろうな、という期待はうれしくも裏切られました。小学校の宿題やらテストやら授業ノートなどがなんとまあ、あらゆる珍プレー（暴投含む）の宝庫だったのです。

幸い『ちいさい言語学者の冒険』に関心を持ってくださった筑摩書房の柴山浩紀さんとの出会いのおかげで、コロナ禍がはじまったばかりの二〇二〇年春に「宿題の認知科学」の連載を開始することができました。

ネタ元は主に息子で、小学生ともなると本人のプライバシーにも配慮する必要がありますが、柴山さんが本人に直接丁寧に話をして了解をとってくださいました。「間違った解答をみんなに見せてバカにすることが目的なのではない」「誰だって同じような間違いをするし、そこから大人が大切なことを学ぶこともできる」「要するにこれにはとても価値がある」ということをきっとお話しくださったのだと思います。私自身はゼミがあって、二人を研究室に放置したまま不在だったので、会話の内容は実は知らないのですが……。

そういうわけで第一章は、『ちいさい言語学者の冒険』で描いたような、言語習得その後、という体《てい》でスタートしています。それ以降はざっくりいうと第二章は文字の認識、第三章は日本語の統語構造、第四章はその処理について。第五章は音声知覚、第六章は語用論的推論、第七章は語の認識のしくみと人間の語彙知識の構成を扱っています。言葉に関する認知科学の分野を完全網羅できたわけではありませんが、それなりに多様な範囲を扱うことができているかと思います。

一方、「宿題の認知科学」の記事のなかで本書ではピックアップしなかったのは算数に関する話題です。こちらは、柴山さんのご了承のもと、本書と並行して準備している『ことばと算数――その間違いにはワケがある』(岩波科学ライブラリー)に収録させていただくことになりました。

この二冊はできるだけ重複がない本になるよう心がけましたが、第一章の構造的多義性、第三章の日本語の関係節のくだり、第六章の語用論については共通した話題となっています。が、極力それぞれにオリジナルの内容を付け加えるようにしたつもりです(なので、『ことばと算数』のほうもぜひお手にとっていただければうれしいです)。

このように柴山さんには、私と併走しながら本書を完成まで導いてくださったことはもちろん、それ以外にも上に挙げたとおり、お礼をいう理由がたくさんあります。まとめて本当にありがとうございました。

そして、こちらのこだわりリクエストにことごとく応えて、数々の素敵で楽しいイラストを描いてくださった栗山リエさんにも心より感謝いたします。

本書は、私の研究室で最近まで研究員をつとめてくださっていた宮本大輔さんと、現役大学院生の有賀照道さんに全面的に目をとおしていただき、改稿にあたっての様々な助言をいただいています。

宮本さんの知識の引き出しの広さ深さには驚かされるものがあり、「言い間違い」の例として「一九九八年のこの番組で堂本光一くんがこんな言い間違いをした記録がここにある」という情報を教えてくれた際に至っては、「ＡＩかよ！」とつっこまずにおられませんでした。

有賀さんには、「日本語教育能力検定試験に合格しました」という報告をもらった瞬間、これは頼りになるぞしめしめ、と目をつけさせてもらいました。というのも、日本語の構文の記述の仕方において、理論言語学における目下の多数派（たぶん）の枠組みでの捉え方と、日本語教育・国語教育の分野での捉え方は前提が違う部分がありますし（日本語に関係節があるとするかなど）、また用語の選び方も異なる可能性もあるからです。

本書は、日本語・国語教育関連の方にも関心を持ってもらいたいと考え、できるだけ独りよがりにならないように助言を求め、立場逆転で学生さんに赤を入れていただいた次第でした。お二人とも本当にありがとうございました。

加えて、言い間違いを扱っている第七章は、言い間違い・言語産出の専門家寺尾康先生のご著書の内容を借りてきている部分も多いため寺尾先生に、そして第一、五、七章は、共通した現象をちょうど近日刊行のご著書で扱っておられる川原繁人先生にも目を通していただきました。改めてお礼申し上げます。

そしてもちろん、こんなにたくさんの宝物を惜しげもなく提供し続けてくれた息子・皓太郎（現在ついに中一）には感謝の気持ちでいっぱいです。

ありがとうな。

珍プレーもここまで連発すると、普通は親としては嘆き悲しむなり驚愕するなり説教するなりが通常予想される展開なのに、口では一応「ちゃんと書き直して」と言いつつむっちゃ顔が喜んでいるこの私をよくも選んで生まれてきたものだ、グッジョブ。そして、ごめん。漢字苦手遺伝子はお母さん由来です。

最後になりましたが、ここまで読んでくださった読者の皆様どうもありがとうございました。

正解していないあのテスト、やらかしたこのプリントが、大人の研究者が一生懸命頑張ってもわからない問題へのヒントをくれることだってあるんだよ。

親、教師、親戚のおじさん、近所のお姉さん、その他どんな立場からでも、そんなふうに身近なお子さんに伝えていただける機会をいつか得ていただくことを願ってやみません。

文献案内

本文中で言及した文献に加え、直接言及はしていない関連情報も追加しました。

第一章

・広瀬友紀『ちいさい言語学者の冒険――子どもに学ぶことばの秘密』岩波科学ライブラリー、二〇一七
冒頭の例はこちらで紹介したものです。

・Kristin Denham and Anne Lobeck, *Linguistics for Everyone: An Introduction*, Wadsworth, 2012
言語獲得途上にある英語母語話者の子供の例などもっと知りたい方へ。

・川原繁人『音声学者、娘とことばの不思議に飛び込む――プリチュワからカピチュウ、おっけーぐるぐるまで』朝日出版社、二〇二二
「わたしのぐみはね……」の例はこちらです。

・Sugisaki, K. & Y. Otsu, Universal grammar and the acquisition of Japanese syntax, De Villiers, J. & T. Roeper, *Handbook of Generative Approaches to Language Acquisition*, pp. 291-317, 2011
子供にとって「被害を受けられた」は大人が思うほど困難な構文ではないのかもしれないという示唆です。

・藤田耕司「受動動詞の日英比較—生物言語学的アプローチの試み—間接受け身のほうが獲得が早い?」『日英対照　文法と語彙への統合的アプローチ——生成文法・認知言語学と日本語学』開拓社、二〇一六

同上。

・伊藤たかね・杉岡洋子『語の仕組みと語形成』研究社、二〇〇二

うさぎ狩りvs.鷹狩りをはじめとする複合語の内部構造と意味の関係をもっと知りたい方はこちらがおすすめです。

・清水由美『日本語びいき』中公文庫、二〇一八

「日本語の隠れた法則に気づくことができるのはたいてい子供か外国人」だと納得させてくれる一冊です。

・今井むつみ『英語独習法』岩波新書、二〇二〇

可算・不可算、単数・複数って母語話者はどうやって判断しているのか、気になったままだという方はぜひ。

・高野陽太郎『鏡映反転——紀元前からの難問を解く』岩波書店、二〇一五

本文冒頭で紹介している文献ですが、この出版に先だって『認知科学』一五巻三号、二〇〇八の「小特集　鏡映反転」という企画において繰り広げられる議論も興味深いです。J-STAGEで無料で読めます。

・Torres, A. R, N. B. Mota, N. Adamy, A. Naschold, T. Z. Lima, M. Copelli, J. Weissheimer, F. Pegado and S. Ribeiro, Selective Inhibition of Mirror Invariance for Letters Consolidated by Sleep Doubles Reading Fluency, *Current Biology* 31, 742-752, 2021

本文中に引用した、時には左右反転文字が本来の正解より優勢になるという現象に関する論文です。

・Fischer, J-P. and C. Luxembourger, A Test of Three Models of Character Reversal in Typically Developing Children's Writing, *Frontiers in Communication*, Volume 6, 2021

同上。

・Pegado, F., K. Nakamura, and T. Hannagan, How does literacy break mirror invariance in the visual system?, *Frontiers in Psychology*, Volume 5, 2014

鏡像恒常性と書字教育の関係についての文献です。なお、mirror invariance の訳語「鏡像恒常性」は著者の一人 Nakamura 氏にご教示いただきました。ありがとうございました。

・Nakamura, K., M. Makuuchi and Y. Nakajima, Mirror-image discrimination in the literate brain: a causal role for the left occipitotemporal cortex, *Frontiers in Psychology*, Volume 21, 2014

同上。

・Selfridge, O. G. Pandemonium: A paradigm for learning, In D. V. Blake and A. M. Uttley, editors, Proceedings of the Symposium on Mechanisation of Thought Processes, 511-529, London, 1959

「伏魔殿モデル」のオリジナル出典です。

・Lindsay, P. H., & Norman, D. A. *Human information processing: An introduction to psychology*. Academic Press, 1972

上記 Selfridge の提案と、それが有名なイラスト（言語学者 Leanne Hinton によるものとされる）とともに解説された同じく有名な入門書です。

・Chen, J-Y and R-J Cherng, The proximate unit in Chinese handwritten character production, *Frontiers in Psychology*, Volume 9, 2013

本文で紹介した台湾での中国語母語話者にとっての字素の機能についての研究です。

・田中敏隆『子供の認知はどう発達するのか』金子書房、二〇〇二メンタルローテーションの発達に関して本文中にて言及した書籍ですが、言及されているデータは一九六〇年代からの多様な研究の積み重ね。なかでも子供の認知発達一般についてご自身のお孫さんを愛情深く観察されたデータが満載です。

・Perea, M., Nakatani, C. & van Leeuwen, C. Transposition effects in reading Japanese Kana: Are they orthographic in nature?, *Memory and Cognition* 39, 700-707, 2011

本文中では紹介しきれませんでしたが、日本語において語内の二文字の位置を入れ替えるパターンを複数比較する実験を行っています。

・Grainger, Jonathan & Whitney, Carol. Does the huamn mnid raed wrods as a wlohe?, *Trends in cognitive sciences*. 8. 58-9, 2004

本文中で言及した解説論文。タイポグリセミアはjumbled word effectと呼ばれています。

第三章

・三上章『象は鼻が長い』くろしお出版、一九六〇

日本語に主語にあたるものはない、という主張の代表的存在。

・奥津敬一郎『「ボクハウナギダ」の文法』くろしお出版、一九七八

奥津氏は、うなぎ文を最初に論じたのは金田一春彦氏だとも指摘している。

・Li, C. N., and Thompson, S. A., Subject and topic: A new typology of language, In C. N. Li (ed.), *Subject and topic*, New York: Academic Press. 1976

日本語の「は」の働きや、主語と主題の関係についての文献はたくさんあり、上にあげた三点はほんの一部です。

・寺村秀夫『寺村秀夫論文集I』くろしお出版、一九九二（大阪外国語大学研究留学生別科『日本語・日本文化』という冊子に一九七五年から一九七七年にわたって掲載された論文の再掲）

本文中では、日本語にも、西欧語と同じように関係節というものを想定する立場ですすめていますが、単純に同一してよいのかについてはたくさん議論があります。

・プラシャント・パルデシ、堀江薫編『日本語と世界の言語の名詞修飾表現』ひつじ書房、二〇二〇

同上。

第四章

・広瀬友紀「文処理研究と日本語」『日本語学』第三〇巻一四号、一九二―二〇四頁、二〇一一

・窪薗晴夫編『よくわかる言語学』ミネルヴァ書房、二〇一九（九章2 多義性とガーデンパス）

・Mansbridge, M. P. and K. Tamaoka, Ambiguity in Japanese relative clause processing, *Journal of Japanese Linguistics* vol. 35, no. 1, pp. 75–136, 2019

以上、日本語の関係節のはらむめくるめく曖昧性について解説した文献および読文実験をとおした研究論文を挙げました。

第五章

・ステファノ・フォン・ロー『ちいさい〝つ〟が消えた日』岩田明子・小林多恵監修、三修社、二〇〇八

ちいさい「っ」って実は不思議な存在だよね、とお子さんと話題にするきっかけにぜひ。私は演劇作品として出会いました。

・Sadakata, M., M. Shingai, S. Sulpizio, A. Brandmeyer, K. Sekiyama, Language specific listening of Japanese geminate consonants: a cross-linguistic study, *Frontiers in Psychology*, vol.5, 2014

本文中で紹介した日本語とイタリア語の比較実験です。

・Dupoux, E., K. Kakehi, Y. Hirose, C. Pallier, and J. Mehler, Epenthetic vowels in Japanese: A perceptual illusion?, *Journal of Experimental Psychology: Human Perception and Performance*, 25 (6), 1568–1578, 1999

日本語母語話者が子音と子音の間に母音を補う現象が、人間の言語処理研究にもたらす示唆を述べています。

・Mazuka, R., Y. Cao, E. Dupoux, and A. Christophe, The development of a phonological illusion: A cross-linguistic study with Japanese and French infants, *Developmental Science* 14（4）, pp. 693-699, 2011

日本語話者は生後どれくらいから、母音を補ってモーラ単位の知覚を行うのか。上の実験の赤ちゃん版です。

・窪薗晴夫「子供のしりとりとモーラの獲得」『神戸大学文学部紀要（27）』五八七―六〇二頁、二〇〇〇

幼いうちは、実は音節単位の処理を行っていることがしりとり遊びをとおしてうかがえる。

・川原繁人『音声学者、娘とことばの不思議に飛び込む――プリチュワからカピチュウ、おっけーぐるぐるまで』朝日出版社、二〇二二

同上。

・広瀬友紀監修『ことばとともだちになる しりとりきょうしつ』小学館、二〇二〇

メタ言語意識をふんだんに刺激するつもりでつくりました。

第六章

・ポール・グライス『論理と会話』清塚邦彦訳、勁草書房、一九九八
グライスの「協調の原理」の原典の日本語訳です。

・時本真吾『あいまいな会話はなぜ成立するのか』岩波書店、二〇二〇
そしてその先の理論も知りたい人におすすめします。

・和泉悠『悪い言語哲学入門』ちくま新書、二〇二二
同上。構造的曖昧性を持つタイトルも面白いですね。

・Horn, Laurence, Implicature, *The Handbook of Pragmatics*, Oxford: Blackwell Publishing, 2004
尺度含意についてもっと知りたい方へ。

・Sudo, Y., Implicature Processing, In Miyamoto, Y., Koizumi, M., Ono, H., Sauerland, U. and Yatsushiro, K. (ed.), *Key Concepts of Experimental Pragmatics*, Kaitakusha.（近日公刊）
さらにより最新の枠組みについても知りたい方はこちらもどうぞ。

・Lupker, Stephen, Visual Word Recognition: Theories and Findings, Snowling, Margaret J. & Charles Hulme (eds.) The *Science of Reading: A Handbook*, 2005

視覚的な語提示からの語認識過程（visual word recognition）の概説論文です。

・Glaser, W. R., & Düngelhoff, F.-J., The time course of picture-word interference, *Journal of Experimental Psychology: Human Perception and Performance*, 10 (5), pp. 640-654, 1984

絵・単語干渉課題（ＰＷＩ）における意味情報の干渉についてご関心のある方へ。

・Meyer, A. S., Lexical Access in Phrase and Sentence Production: Results from Picture-Word Interference Experiments, *Journal of Memory and Language*, 35, 477-496, 1996

絵・単語干渉課題（ＰＷＩ）における音韻情報のはたらきについてご関心のある方へ。実際の実験はオランダ語で行われ、二語が並列で示された場合と、統語関係を持つ文の一部として示された場合とを比べています。

・Julie Sedivy, *Language in Mind: An Introduction to Psycholinguistics* (*Second Edition*), Oxford University Press, 2019

右に挙げた二点について、まとめて一冊で知りたい場合はこちらの書籍がおすすめ。心理言語学全体の優れた入門書でもある。

・Finkbeiner, M., & Caramazza, A. Now you see it, now you don't: on turning semantic interference into facilitation in a stroop-like task. Cortex 6, 790-796, 2006
絵単語鑑賞課題において意味的に関連する語を視覚的に文字として提示したときと、サブリミナル(masked)提示したときで効果が逆になることを示した研究（本文中で紹介）。

・Victoria Fromkin, *Speech Errors as Linguistic Evidence*, Mouton De Gruyter, 1984
「言い間違い」が私たちの言語知識やその運用について何を教えてくれるのかという問題の最もポピュラーな入門書はこちら。主に例も英語ですが。

・寺尾康『言い間違いはどうして起こる?』岩波書店、二〇〇二
日本語の事例を見ながら考えてみたいならやはりこの一冊。

・川原繁人『音声学者、娘とことばの不思議に飛び込む——プリチュワからカピチュウ、おっけーぐるぐるまで』朝日出版社、二〇二二
「言い間違い」の音声学・音韻論的な観点からの体系的な説明はぜひこちらも。

・Sami Boudelaa, William D. Marlsen-Wilson, Morphological units in the Arabic mental lexicon,

Cognition, Volume 81, Issue 1, pp. 65–92, 2001
本文中で言及したアラビア語の実験について。

ちくま新書
1667

子《こ》どもに学《まな》ぶ言葉《ことば》の認知科学《にんちかがく》

二〇二二年七月一〇日　第一刷発行

著者　広瀬友紀（ひろせ・ゆき）
発行者　喜入冬子
発行所　株式会社 筑摩書房
東京都台東区蔵前二-五-三　郵便番号一一一-八七五五
電話番号〇三-五六八七-二六〇一（代表）
装幀者　間村俊一
印刷・製本　株式会社 精興社

ISBN978-4-480-07493-5 C0211

1634
悪い言語哲学入門
和泉悠
「あんたバカぁ?」「だって女/男の子だもん」。私たちが何気なく使う言葉のどこに問題があるのか? その善悪の根拠を問い、言葉の公共性を取り戻す。

1442
ヒトの発達の謎を解く
――胎児期から人類の未来まで
明和政子
イヤイヤ期はなぜ起きる? 思春期に感情が暴走するのはなぜ? デジタル化は脳に影響あるの? ヒトの本質に焦点をあてて、脳と心の成長を科学的に解明する。

1396
言語学講義
――その起源と未来
加藤重広
時代とともに進化し続ける言語学。国家戦略、AI、滅びる言語、……現代に即した切り口も交え、ことばの研究の起源から最先端まで、全体像と各論点を学びなおす。

1352
情報生産者になる
上野千鶴子
問いの立て方、データ収集、分析、アウトプットまで、新たな知を生産し発信するための方法を全部詰め込んだ一冊。学生はもちろん、すべての学びたい人たちへ。

1254
万葉集から古代を読みとく
上野誠
民俗学や考古学の視点も駆使しながら万葉集全体を解剖し、今につながる古代人の文化史、社会史をさぐる型破りの入門書。「表現して、残す」ことの原初性に迫る。

1600
批評の教室
――チョウのように読み、ハチのように書く
北村紗衣
「精読する、分析する、書く」の3ステップを徹底攻略! チョウのように軽いフットワークで理解し、ハチのように鋭い視点で読み解く方法を身につけましょう。

1354
国語教育の危機
――大学入学共通テストと新学習指導要領
紅野謙介
二〇二一年より導入される大学入学共通テスト。高校国語教科書の編集に携わってきた著者が、そのプレテスト問題を分析し、看過できない内容にメスを入れる。

ちくま新書

1645
ルポ 名門校
――「進学校」との違いは何か？
おおたとしまさ
進学校と名門校は何が違うのか？ 旧制中学、藩校、女学校出身の伝統校から戦後生まれの新興校まで全国30校を取材。名門校に棲む「家付き酵母」の正体に迫る。

1571
デジタルで変わる子どもたち
――学習・言語能力の現在と未来
バトラー後藤裕子
スマホ、SNS、動画、ICT教育……デジタル技術の発展で急速に変化する子どもの学習環境。最新研究をもとにデジタル時代の学びと言語能力について考察する。

1612
格差という虚構
小坂井敏晶
学校は格差再生産装置であり、遺伝・環境論争は階級闘争だ。近代が平等を掲げる裏には何が隠されているのか。格差論の誤解を撃ち、真の問いを突きつける。

1586
すべてはタモリ、たけし、さんまから始まった
太田省一
つねに圧倒的存在であり続けた「お笑いビッグ3」。その軌跡を辿りながら、漫才ブームから「第7世代」の台頭まで、「お笑い」の変遷を描き切った圧巻の40年史！

1582
バイアスとは何か
藤田政博
事実や自己、他者をゆがんだかたちで認知する現象、バイアス。それはなぜ起こるのか？ 日常のさまざまな場面で生じるバイアスを紹介し、その緩和策を提示する。

1547
ひとはなぜ「認められたい」のか
――承認不安を生きる知恵
山竹伸二
ひとはなぜ「認められないかもしれない」という不安を募らせるのか。承認欲求を認め、そこから自由に生きる心のあり方と、社会における相互ケアの可能性を考える。

1647
会計と経営の七〇〇年史
――五つの発明による興奮と狂乱
田中靖浩
簿記、株式会社、証券取引所、利益計算、情報公開。今やビジネスに欠かせない仕組みが誕生した瞬間を、見てきたように語ります。世界初、会計講談！

ちくま新書

1644 こんなに変わった理科教科書　左巻健男
えっ、いまは習わないの？　かいちゅうと十二指腸虫の写真入り解説、有精卵の成長観察、解剖実験などはなぜ消えたのか。戦後日本の教育を理科教科書で振り返る。

1616 日本半導体 復権への道　牧本次生
日本半導体産業のパイオニアが、その発展史と日本の持つ強みと弱みを分析。我が国の命運を握る半導体産業復活への道筋を提示し、官民連携での開発体制を提唱する。

1607 魚にも自分がわかる——動物認知研究の最先端　幸田正典
魚が鏡を見て、体についた寄生虫をとろうとする!?「魚の自己意識」に取り組む世界で唯一の研究室が、動物の賢さをめぐる常識をひっくり返す！

1566 ダイオウイカ vs. マッコウクジラ——図説・深海の怪物たち　北村雄一
海の男たちが恐怖したオオウミヘビや日本の漁船が引きあげたニューネッシーの正体は何だったのか。深海に蠢く奇々怪々な生物の姿と生態を迫力のイラストで解説。

1564 新幹線100系物語　福原俊一
国鉄最後の「記憶に残る名車」新幹線100系。その設計開発・計画・運転・保守に打ち込んだ鉄道マンたちの思いと鉄道魂を、当時の関係者への綿密な取材をもとに伝える。

1545 学びなおす算数　小林道正
分数でわるとなぜ答えが大きくなるか、円周率はなぜわりきれないか、マイナスかけるマイナスがなぜプラスになるか、図形感覚が身につく補助線とは……。

1542 生物多様性を問いなおす——世界・自然・未来との共生とＳＤＧｓ　高橋進
ＳＤＧｓ達成に直結し、生物資源と人類の生存基盤とを包摂する生物多様性。地球公共財をめぐる旧来の利益第一主義を脱し、相利共生を実現するための構図を示す。

ちくま新書

1663 間違いだらけの風邪診療 ――その薬、本当に効果がありますか？　永田理希
鼻・のど・咳・発熱などの不調が出た時、病院に行きますか？　どんな薬を飲みますか？　昔の常識は今の非常識。敏腕開業医が診断と治療法のリアルを解説します。

1592 リンパのふしぎ ――未病の仕組みを解き明かす　大橋俊夫
全身の血管と細胞のすき間を満たし流れるリンパは、病気を未然に防ぐからだの仕組みに直結している。免疫力、癌治療、水分摂取……研究の最新情報を豊富に紹介。

1584 認知症そのままでいい　上田諭
「本人の思い」を大切にしていますか？　治らなくていい、と知れば周囲も楽になれる。身構えずに受け入れるためのヒントを、認知症の専門医がアドバイスします。

1536 医学全史 ――西洋から東洋・日本まで　坂井建雄
医学はいかに発展してきたのか。古代から西洋伝統医学が続けてきた科学的探究は一九世紀に飛躍的な発展を見せる。萌芽期から現代までの歴史を辿る決定版通史。

1532 医者は患者の何をみているか ――プロ診断医の思考　國松淳和
プロ診断医は全体をみながら細部をみて、病気の起きている理屈を考え、自在に思考を巡らせている。病態把握のために「みえないものをみる」、究極の診断とは？

1510 ドキュメント　感染症利権 ――医療を蝕む闇の構造　山岡淳一郎
何が救命を阻むのか。情報の隠蔽、政官財学の癒着、学閥、731部隊人脈、薬の特許争い……新型コロナ禍をはじめ危機下にも蠢き医療を蝕む、邪悪な構造を暴く。

1507 知っておきたい感染症【新版】 ――新型コロナと21世紀型パンデミック　岡田晴恵
世界を混乱に陥れた新型コロナウイルスをはじめ、鳥インフルエンザやSARSなど近年流行した感染症の特徴や防止策など必須の知識を授ける。待望の新版刊行。

ちくま新書

1626 日本語の起源
――ヤマトコトバをめぐる語源学
近藤健二
日本語の起源は古代中国語にあった。古代中国語音と古代日本語（ヤマトコトバ）の音の対応を数多くの実例に基づき検証。日本語の古層をめぐる新説を提唱する。

1568 ことばは国家を超える
――日本語、ウラル・アルタイ語、ツラン主義
田中克彦
日本語と文の構造ばかりか、表現方法、つまりものの感じ方までもが共通する言語が世界には多く存在する！世界の見え方が変わる、言語学入門。

1563 中国語は楽しい
――華語から世界を眺める
新井一二三
中国語で書き各地で活躍する作家が、文法や発音など基礎を解説し、台湾、香港、東南アジア、北米などに華語として広がるこの言語と文化の魅力を描き出す。

1478 漢語の謎
――日本語と中国語のあいだ
荒川清秀
漢字の熟語である「漢語」は、中国から日本に伝来し、また日本から中国へ輸出もされてきた。本書は様々な漢語の来し方を探求し、秘められたドラマを描きだす。

1246 時間の言語学
――メタファーから読みとく
瀬戸賢一
私たちが「時間」をどのように認識するかを、〈時は金なり〉〈時は流れる〉等のメタファー（隠喩）を分析して明らかにする。かつてない、ことばからみた時間論。

1221 日本文法体系
藤井貞和
日本語を真に理解するには、現在の学校文法を書き換えなければならない。豊富な古文の実例をとりあげつつ、日本語の隠れた構造へと迫る、全く新しい理論の登場。

1105 やりなおし高校国語
――教科書で論理力・読解力を鍛える
出口汪
教科書の名作は、大人こそ読むべきだ！　夏目漱石、森鷗外、丸山眞男、小林秀雄などの名文をカリスマ現代文講師が読み解き、社会人必須のスキルを授ける。